カルト権力

公安、軍事、宗教侵蝕の果てに

青木理
Aoki Osamu

河出書房新社

カルト権力 公安、軍事、宗教侵蝕の果てに／目次

第2章 事件以後——理の眼1 49

結びに

ブックデザイン　鈴木成一デザイン室
カバー写真　代表撮影
オビ写真　毎日新聞社提供

カルト権力

公安、軍事、宗教侵蝕の果てに

序章　あの事件の前と後

2022年7月8日の午前11時30分すぎ――つまりは長期「一強」政権を率いた元首相が奈良市の近鉄大和西大寺駅前で銃弾に貫かれたちょうどそのころ、私は沖縄・那覇空港のラウンジで東京・羽田行き航空便の搭乗開始を待っていた。

この前日から名護市の辺野古《へのこ》地区に入っていた私は、政府が強行する米軍基地建設の現場を海上などから取材し、夜は情報交換などを兼ねて名護市内で地元紙記者らと未明まで泡盛を飲み交わした。だから翌朝の名護出立が遅れ、ようやく那覇空港にたどり着いたのは、羽田行き予約便の出発がもう間近に迫った時刻だった。

当然、やや疲れてはいたが、しかしそれは一仕事を終えた後の心地よい疲れでもあって、この取材行で見て聞いた話をどのような原稿に仕立てるか、空港ラウンジの椅子につかのま身を委《ゆだ》ねつつ、私は頭のなかでぼんやりと考えをめぐらせていた。

ポケットのなかのスマートフォンが数度振動したのは、まさにそんな時のことだった。何事かと思って手に取ってみると、液晶画面には通信社のニュース速報が何本か表示されていた。

「元首相、撃たれる」、「奈良で遊説《ゆうぜい》中に銃声」、「元首相は意識不明、心肺停止か」……。

にわかには信じがたい情報に驚愕《きょうがく》し、慌ただしく液晶画面を繰っていると、今度は既知の新聞記者や編集者らから立て続けに電話着信が入った。いずれもコメントや緊急寄稿などを求める連絡だった。

応じられる限りはいずれにも応じると答えた私は、とはいえ現時点では情報が少なすぎるから羽田に到着したらまた連絡すると告げて電話を切り、搭乗を促《うなが》す最終案内のアナウンスに押されて最後の搭乗客として機内に滑り込んだ。そして羽田へと向かう飛行中もPCを機内のWi-Fiにつなぎ、ネットのニュースサイトで最新情報をチェックしつつ、メールやLINEなどで関係者への取材も続けた。

断片的ではあるが、情報は刻々と更新されていった。「元首相は演説中に背後から撃たれた模様」「凶器は散弾銃様の銃器」「容疑者は現場で身柄確保」「容疑者は元海上自衛官」……。

正直に記せば、那覇空港で最初にニュース速報を眼にした瞬間、私はすさまじく不吉な予感に襲われていた。今回の銃撃が元首相の右派的な政治姿勢や政治イデオロギーによって抑圧されたと訴える者——特にそれが社会的マイノリティーに属する者の犯行だったとするなら、ただでさえ元首相の長期執権下で強まっていたマイノリティー層への抑圧感は一層強まり、それどころか手がつけられないほど猛烈な全社会的攻撃に発展してしまいかねない。

だが、犯行に使用されたのが散弾銃で、しかも元自衛官という経歴を持つ者なら、とりあえずそうした懸念は薄らぐ。しかし一方、今度は別の懸念が浮かんでくる。

いうまでもなくそれは、先の大戦前に軍部の青年将校らが数々の要人テロを引き起こし、この国がファッショと戦争の泥沼へと突き進んでしまった痛恨の歴史であり、一方でこの国の昨今の政治的、社会的風潮を振り返れば、これも元首相の長期執権下、この国のマスメディアなどには萎縮と自粛の気配が蔓延し、政権の横暴を制御する機能が著しく衰えていることを私は強く憂いていた。そこに元首相が銃撃されるという驚愕の事件が起きれば、その衝撃は政治や社会の雰囲気をモノクロームのような単色へと一挙に染めあげてしまいかねない。

そんなことを想いつつ、かろうじて得られた情報を踏まえ、羽田到着後すぐに書き上げたのが、本書の第1章冒頭に収録した共同通信への寄稿記事である。当時としては知り得る限りの情報に基づいて書いたが、容疑者の犯行動機が旧統一教会への遺恨だといった事実はまだわかっていなかったから、いまから読み返すとややピントがずれ、その後の経過を含めた物事の本質を捉えきれていなかった面があるのは否めない。

ただ、ここに記した問題意識自体はいまも変わってはいないし、変わらずに銘記しておくべき内容は含まれていると思う。また、その時々に摑み得た事実に依って日々文章を紡ぐのは、まさに「ジャーナル＝日録」を語源とするジャーナリズムの仕事でもある。

だから情報が不十分だった状態で紡いだ文章や、執筆後に状況が動いた文章なども含め、これらすべてが私にとっては自らのジャーナリズム活動の記録である。そうやって2021年9月から2023年2月までの約1年半にわたり、各月刊誌や週刊誌、新聞などに寄せてきたコラム、評論、インタビュー、そしてルポルタージュ等をまとめて編んだのが本書である。

いわば時評集と呼ぶべき一冊であり、このうち第1章には各紙誌などに寄せて発表した評論やコラム等を、第2章と5章には毎日新聞の大阪本社が発行する夕刊紙面に「理の眼」と題して週1回のペースで連載しているコラムのエッセンスをそれぞれ収録し、そして第3章と4章には岩波書店発行の月刊誌『世界』などに寄せた本格的ルポルタージュやインタビューなどを配し、それぞれ末尾に寄稿媒体と掲載日を明記した。

いずれも思い入れのある文章ばかりだが、収録した文章を執筆した期間中、この国内で最も大きな出来事が私の沖縄滞在時に起きた元首相銃殺事件だったことに異論はないだろう。したがって第2章と5章に配した毎日新聞夕刊のコラムは、前者の2章を元首相の銃殺事件以後、そして後者の5章を銃殺事件以前に記したものをひとまとめとし、これも末尾に紙面へのコラム掲載日を明記した。

これによって前者からは元首相銃殺事件を契機として浮上したさまざまな動きや政治的、社会的な問題を総覧し、後者からはその元首相らの執権下で数々蓄積されていた政治的、社会的な問題点などを捉えやすくした。また、それぞれの執筆時点での「ジャーナル＝日録」性を重視し、原稿の加除修正等は最小限にとどめた。

そうして編まれた時評集の著者である私としては、まさに日々の記録として紡いだ文章群の、その時々刻々の「ジャーナル＝日録」を読者が追体験しつつ、忘れかけていた問題、課題に関する記憶を喚起し、忘れるべきではない問題、課題をしっかりとした記憶としてあらためて定着させ、この国の政治や社会に巣食った病巣をどう除去し、改善に導いていくか、そのための真摯《しんし》な思考の一助になることを強く願っている。

そして本書を最後まで通読すれば、カルト宗教に深々と侵食されていた為政者の長期執権下、この国の政治が治安機関や軍事偏重へと異様に傾倒し、それを推し進めた政権自体が一種のカルト臭さえ帯びた危険な復古性、反動性に蝕まれていたことが浮かびあがってくるはずである。本書のタイトルには、そんな含意が込められている。

第1章　カルト権力批判

衝撃的テロ――暗い隘路へ迷い込むな

衝撃的な政治テロというべきであり、断じて許されざる民主政治の破壊行為である。ただ、いずれこうした事件が起きてしまうのではないか、という危惧は抱いていた。

私が指摘するまでもなく、この国は近年、ひどい閉塞感と停滞感に覆われている。経済は長期低迷を脱せず、財政の悪化や少子高齢化に歯止めがかからず、社会保障の将来像なども描けない。格差や貧困もかつてなく深刻に広がる。

つまり不満や憤懣は社会のあちこちに蔓延し、しかしそれに政治がまったく応えられていない。人びとは政治に絶望し、治安が悪化する条件がそろっているのに悪くならず、不満や憤懣は宙をさまよっていた。あるいは、地下にマグマのようにたまっていた。

それが元首相に向かったのかどうかは現時点ではわからない。ただ、社会に渦巻く不満や憤懣が政治テロとして噴出する例は多く、それによって社会はしばしば一層暗い隘路《あいろ》に迷い込む。戦前・戦中にこの国もそうだった。その点で言うと、逮捕された容疑者が元自衛官だったという点も気になる。

昨年亡くなった作家、半藤一利さんと生前対談した際、「社会が戦争に向かっていく危険な兆候」を挙げていたのが印象に残っている。それはおおよそ次のようなものだった。「言論が不自由になる」「教育が国粋主義に変わる」「監視体制が強化される」「ナショナリズムが強調される」、そして「テロの実行が始まる」。

当時は重大テロなど起きていなかったが、他の「兆候」はかなりそろってしまっているのではないですか、私がそう尋ねると昭和史の泰斗は即座にこう応えた。「ええ。しかも昔よりスピードが速い」と。

私もそうだが、半藤さんは昨今の政治を強く深く憂《うれ》いていた。特定秘密保護法といった治安法が次々成立し、政治や社会に皮相なナショナリズムや排外的風潮が広まり、そしてその政治の圧力などでメディアにも萎縮《いしゅく》が拡散している状況を。

そして今、衝撃的事件が眼前で起きた。その凶弾に倒れたのが、むしろ治安法の成立を強行してナショナリズムをあおってきた元首相だったのはなぜか、これも犯行の動機や背景の解明を待つしかない。

だが、今回の事件によって半藤さんが危惧した「兆候」の最後のピースを埋める結果につなげてはならない。少なくともかつてのような隘路に迷い込んではならない。

だから、今回の事件によって政治や言論を萎縮させず、同時に事件の動機と背景を解明し、その要因を可能な限り取り除く努力も尽くさねばならない。

2022.7.8／共同通信

世襲政治家の運命《さだめ》

第2次安倍政権の発足から間もないころ、ある編集者から「安倍晋三の評伝を書かないか」と提案を受けたことがあった。だが、私は断った。面白い評伝になるとは到底思えなかったからである。

今も昔も人物評伝はノンフィクションの華だが、それが成立するには不可欠の条件がある。対象が善人だろうと悪人だろうと、政治家だろうと犯罪者だろうと、その人物が頭抜《ずぬ》けた磁力を発し、そうした人格を形作った逸話や物語に彩られていること。それがなければ、いくら取材を尽くしても面白い評伝など書けはしない。そして安倍晋三という人物に、それほど魅力的な逸話や物語があるようには微塵《みじん》も思えなかった。

だが、しばらくして別の編集者から少し異なる提案があった。「安倍晋三のような政治家がなぜ生まれたのか、ルーツにまで遡った評伝なら食指が動かないか」と。

なるほど、と思った。いまさら記すまでもなく、晋三の父は安倍晋太郎、母方の祖父は岸信介、父方の祖父・安倍寛もまた戦中に衆議院議員を務め、眩《まばゆ》いほどきらびやかな政治一家だが、そうした家に生まれていなければ、おそらく晋三が政治家になることはなかった。現代日本に蔓延する政治世襲への問題意識も抱いていた私は、それならば取材執筆の価値は十分あると考えて提案を受けた。

つまり、政治一家としての地平を切り開きながら実像があまり知られていない安倍寛を起点とし、晋太郎から晋三へと連なる安倍家3代の系譜を追えば、戦後日本政治を俯瞰《ふかん》しつつ同時にその問題点も照射できるのではないか――そう考えて完成させたのが『安倍三代』（朝日文庫）である。

成果は拙著をお読みいただきたいが、軍部ファッショの嵐が荒れ狂った先の大戦中、軍部の圧力を受けながら翼賛選挙を非推薦で勝ち抜いた寛は、強烈な魅力を発する反骨の政治家だった。息子の晋太郎は所詮《しょせん》2世の〝プリンス〟ではあったが、山口の寒村で父の支持者に囲まれて育ち、大戦末期には志願した特攻を辛うじて生きのび、存外に魅力的逸話の多い政治家ではあった。

だが、やはり晋三は違った。東京で生まれ育ち、小学校から大学までを成蹊学園で過ごし、いくら取材しても語るに値する逸話がない。同級生や恩師、あるいは大学卒業後にコネ入社した神戸製鋼所の上司や同僚など、何十人もの関係者を訪ね歩いて話を聞いたが、のちの政治姿勢につながるエピソードさえ出てこない。

それどころか、晋三の口から政治的な発言を聞いたことのある者すら皆無――決して大袈裟ではなく、1人たりともいなかったのである。晋三は大学時代、地方自治を専門とする碩学《せきがく》のゼミに所属したが、当時を知る教員は「彼が卒論で何を書いたかも覚えてないし、ゼミで何かを積極的に発言した記憶もない」と振り返るのだった。

かといってワルでもなく、成績はごく平凡。あえて等身大に評すれば、名門政治一家に生まれはしたものの、可もなく不可もないボンボンのおぼっちゃま。そんな晋三がなぜゴリゴリの右派に変貌したのか。神戸製鋼所時代の上司は当時の晋三を「要領がよくて、みんなに好かれていましたよ。たとえて言えば、まるで子犬」と評し、のちの政治姿勢についてはこう指摘している。「周りに感化されたんでしょう。子犬が狼の子と遊んでいるうち、あんな風になってしまった。僕はそう思っています」

おそらくはその通りだったのだろう。戦後日本政治における右派の巨魁・岸の孫として生まれた晋三を、永田町内外の右派勢力はサラブレッドとして育てた。晋三にも、それが時代の潮流だと読む政治的計算程度はあったのか、少なくとも自らを溺愛した祖父・岸への憧憬《どうけい》を抱いていた。そうして空虚な入れ物に、ジャンクな右派思想ばかりが注ぎ込まれた。

一方で皮肉をこめて記せば、晋三にはその出自以外に政治家としての「強み」があった。まずは強運。戦後生まれ初の宰相として率いた第1次の政権は短期で投げ出したが、民主党政権の瓦解を経て政権に復帰すると、今度は7年8ヶ月もの「一強」を維持した。第1次政権の蹉《さ》跌《てつ》に学んだところもあったにせよ、しかしそれは真に「一強」の政権と評すべきだったか。

各種世論調査では常にそこそこの内閣支持率を維持し、主要な国政選挙も連勝したが、支持理由の最多は終始一貫「ほかに適当な人がいない」。政権が高く屹立《きつりつ》したのではなく、政権交代の失敗に人々が失望し、しかも野党が四分五裂し、周囲が総陥没した結果としての「一強」。国にとっては不幸だが、政治の貧困ゆえに長期政権を実現したその〝強運〟。

もうひとつ、最大の強みが晋三にはある。私にそれを教えてくれたのは、晋三の母校・成蹊大の恩師でもある加藤節《たかし》（成蹊大名誉教授、政治学）だった。『安倍三代』の取材でインタビューした際、加藤は安倍政権の顕著な特質を「ふたつのムチ」――すなわち「無知」と「無恥」に集約されると辛辣《しんらつ》に批判した。

もちろん加藤は、改憲を訴えるのに憲法学の泰斗だった芦部信喜《あしべのぶよし》すら知らないと言い放つかつての教え子を難じる文脈でそう語ったのだが、逆に言えばこれは強烈な「強み」でもあると私は感じた。

「無知」で「無恥」な人間は、ある意味で最強である。先人が積み重ねてきた知に疎《うと》いのに――いや、疎いからこそ、ルール違反の横紙破りも平然としてでかし、しかも「無恥」ならば批判や諫言《かんげん》も暖簾に腕押し、糠《ぬか》に釘、批判がまったく刺さらず、何の痛痒《つうよう》も感じない。

だからこそ、いち内閣の閣議決定で憲法解釈を平然と覆し、そのために内閣法制局長官の首をすげ替え、日銀総裁やＮＨＫ会長にお友達を送り込む掟破りもいとわない。支持者や提灯持ちには利益誘導を繰り返し、その一端が「モリカケサクラ」問題として噴出しても嘘、詭弁《きべん》を連ねて知らぬ顔。「桜」問題だけで118回も国会で嘘を吐《つ》き、「森友」では自らの開き直りで公文書が改ざんされ、現場では真摯な公務員の命が失われ、多少たりとも廉恥《れんち》の情があれば耐えられない状況にも平気の平左、「日教組、日教組！」と口をとがらせて野党に野次《やじ》を飛ばす。

これも首相が行政府の長であるという至極当然の常識に立脚すれば、国権の最高機関で野次を飛ばすのは禁忌《きんき》だが、「無知」と「無恥」の成せる業《わざ》ではなかったか。

『安倍三代』には記さなかったが、毎日新聞で晋太郎の番記者だった故・岸井成格《しげただ》が生前教えてくれた逸話も思い出す。晋太郎は晋三を岸井に紹介した際、苦笑いしつつこう漏らしたのだという。「こいつはね、出来は悪いが、言い訳をさせたら天才的なんだよ」と。

そうやって「無知」と「無恥」、そして「言い訳の天才」という〝才〟を武器に「憲政史上最長」政権を成し遂げたボンボンが、病でも政治テロでもなく、カルト宗教に人生を破壊された男に手製銃で撃ち抜かれてしまったのは、最後の最後に世襲政治家として無意識的にも体内に蓄積された運命にのみ込まれてしまったように思えてならない。

繰り返しになるが、世襲政治一家に生まれなければ晋三が政治家になることはなく、その空虚な器にジャンクな右派思想を注ぎ込まれることもなかった。だが、いまさら記すまでもなく旧統一教会が日本で勢力を伸ばす端緒を開いたのは祖父の岸であり、以後3代続いた教団との蜜月が汚れた澱《おり》を深く重く沈殿させ、ついにはそれが強烈な遺恨となって3代目の胸を貫いてしまったのである。
『安倍三代』の系譜を取材した者として唯一心残りなのは、晋三が岸ではなく、寛の政治的姿勢に多少でも共感を寄せていれば、その政治姿勢も随分異なったものになったろうし、このような最期を迎えることはなかったのでは、という点だが、空虚な体にジャンクな右派思想を満たしてしまった3代目にそのようなことを言っても、もはや詮ない。なにより当の3代目がもうこの世にいないのだから。

2022.9.26／日刊ゲンダイ

統一教会をめぐる2つの疑問

市井の民は常日頃、いわゆる「反社会的勢力」との関係をさまざまな局面で詰問され、そうした関係が発覚した芸人やタレントなどは直ちに息の根まで止められてしまうのに、膨大な被害を生んできた反社会的カルト教団との関係が発覚した国会議員のセンセイ方は知らぬ存ぜぬを決め込み、まさかそんな団体だとは思わなかったと幼稚なシラを切って平然としている。

挙句の果てには「何が問題かさっぱりわからない」と開き直る者まで現れ、今日も永田町を堂々と闊歩《かっぽ》しているご様子。国会議員のセンセイとはまったく呑気でおいしい商売である。

一方でメディアは、誰それセンセイがどの会合に出席したとか祝電を送ったとか、そんなレベルに問題を矮小化せず、もっと広く深い視野で問題の深層に目を凝《こ》らす必要がある。

私が見るところ、とりあえず徹底解明すべきテーマは2つ。

まず、旧統一教会＝世界平和統一家庭連合という反社会的カルト教団がこれまで長きにわたって霊感商法などで数々の問題を引き起こしつつ、なぜ今日までのうのうと活動を継続してこられたのか、という疑問について。特に警察などの捜査当局は一体なぜ、実態解明のメスを徹底的に振るうことができなかったのか。

私が通信社の警察担当記者だった1990年代、公安警察は旧統一教会を対象とした相当に大規模な情報収集に乗り出したことがある。だが、しばらくするとその動きはパタリと止まる。奇異に感じて尋ねると、公安警察の最高幹部はポツリとこう漏らした。「政治の意向だ」と。

古くから旧統一教会を追及していた有田芳生《よしふ》・前参院議員も同じようなことをメディアで語っているのをご存知の方も多かろう。それが私が知る動きと同じものを指すのかは定かでないが、有田氏は1995年ごろのことだと証言しているから、時期的にも私の知る動きとピタリ一致する。

また、2000年代に入って警察は教団関連の悪質商法の捜査を繰り広げたが、教団本部への家宅捜索などは行われず、捜査が不十分なものにとどまった背後にも政治の力があったのではないか、との指摘もある。

いずれにせよ、70～80年代から霊感商法をはじめとする数々の異様な社会問題を引き起こしてきたカルト教団に対し、警察が早期かつ適切に大々的捜査のメスを入れていれば、その段階で教団の増長に歯止めがかかった可能性は高い。つまり霊感商法や多額献金などによる被害の拡大や継続は確実に抑えられ、結果として元首相が白昼銃殺される重大事件だって発生しなかったかもしれない。

さらにいえば、旧統一教会は他の重大事件でもその影が しばしば囁《ささや》かれてもいたから、もはや戦後史の闇に分類されてしまっている事件の釜の蓋が開いた可能性さえある。

そう考えれば警察捜査の動きを止めた――あるいは怪しげな制御をかけた「政治の意向」の罪と責任は限りなく重く、今からでも真相を解明する必要があり、そのようなことが可能なのは、全国の警察や永田町に多数の記者を張りつけている新聞を筆頭とする大メディア以外に存在しない。

もうひとつ、各メディアが教団関連報道を続けるなか、いまだ腑に落ちないことがある。旧統一教会と政界の関わりの淵源《えんげん》について。

1960年代に旧統一教会が日本に進出して「国際勝共連合」などを創設した際、故・岸信介氏や右翼の大物の厚い庇護を受けたことはすでに知られているが、なぜ韓国の新興教団が岸氏や右翼の大物の懐にあっさり入りこむことができたのか。背後には、戦前・戦中から岸氏らと気脈を通じていた韓国軍事独裁の、60年代初頭にクーデターで政権を掌握した軍事独裁の主の意向や影響も横たわっていたのではないか。

加えていえば、朝鮮戦争などを経て世界が熾烈な冷戦体制に突入していくなか、「反共」の砦を構築しようと躍起だった米国やその情報機関などの力も働いていなかったか。一時は戦犯容疑者にも列せられた岸氏が米国の「逆コース」政策に乗って復権していたことを思えば、「反共」を旗印に掲げた教団がその懐に抱かれた理由も腑に落ちなくはない。

このあたり、戦後右派政治の底流に詳しい本誌などにも真相を解き明かしてもらいたいところである。

2022.9／月刊日本

統一教会「空白の30年」の教訓

空白の30年――そんな言い回しを最近よく聞く。現在は世界平和統一家庭連合と名称を変えた旧統一教会を長年追及してきた前参院議員でジャーナリストの有田芳生氏が発した言葉らしい。教団の反社会性など以前も今もさほど変わらないのに、30年の長きにわたって社会やメディアが関心を失い――もっと正確に言えば、払うべき関心を払わずに被害が継続し、元首相が白昼銃殺される事件まで引き起こされたのではないか、と。

なるほど、事件を機に政治問題化した旧統一教会については、ある世代から上の者なら強烈な警戒心を抱くが、同じメディア界で禄《ろく》を食《は》む者でも若年層は知識さえほとんど持っていないだろう。80年代に学生生活を送り、90年に通信社の記者としてメディアの仕事に関わりはじめた私は明らかに前者の、しかしその末端の世代に連なる。大学時代には教団の学生組織・原理研が学内で怪しげに活動し、その危険性が各所で警告されていた。霊感商法や合同結婚式といった教団の異様な活動も盛んに報じられていた。

教団との関係で私がいまもピンと反応してしまうのは警察庁指定１１６号事件、いわゆる赤報隊事件である。１９８７年に朝日新聞阪神支局で記者２人が殺傷された事件はジャーナリズム界を志す者にとって凄まじい衝撃であり、記者としての初任地が大阪社会部だった私も取材の片隅にほんの少しだけ関わった。

この事件自体、最終的には未解明のまま時効を迎え、軽々に推測を語るべきではないが、しかし当初から教団の影が囁かれていた。霊感商法の糾弾キャンペーンを1986年からいち早く展開したのが『朝日ジャーナル』だったし、同じころ、故・岸信介氏ら自民党右派が展開したスパイ防止法制定運動を背後で支えているのが教団の政治団体・国際勝共連合だと朝日が報じ、教団は朝日本社周辺で激しい街宣活動を繰り広げていた。

このあたりについては、朝日で赤報隊事件の取材に長年携わった樋田毅《ひだつよし》氏の『記者襲撃　赤報隊事件30年目の真実』（岩波書店）に詳しい。同書は教団を匿名にしているが、教団は内部に「秘密組織」を抱えていたらしく、兵庫県警も「重要な捜査対象」と捉えて詳細な捜査報告書を作成していた。

私自身は、90年代半ばに公安警察を担当していた際の記憶が忘れられない。警視庁公安部が旧統一教会を組織的に調べ始めた――そんな情報を耳にした私は動向を注視したが、間もなくその動きはピタリと止まった。理由を尋ねると、公安部の幹部はこう漏らした。「政治の意向だ」と。

この件はほかの所でも記したが、有田氏もほぼ同じ時期、同じような情報を耳にしていたという。公安警察が当時、どのような角度で斬り込もうとしたかは判然としないものの、もしあの時に大々的な捜査のメスが入っていれば果たしてどうだったか。

少なくとも悪質な活動に歯止めはかかり、被害の拡大や継続は抑えられた。ならば、教団への恨みを募らせる者は消え、元首相の銃殺事件は起きなかったかもしれない。さらに想像をめぐらせれば、戦後史の闇になった事件の蓋も開けられたのではないか——これは二重、三重の「もし」を積み重ねた妄想に近いものではあるが。

いずれにせよ、以後の30年、私たちはたしかに「空白」の時を過ごしてしまった。ならばせめてこれ以上の被害を生じさせぬよう、政治と教団の怪しい蜜月は断固として断ち切らせねばならない。それが「空白」の教訓であろう。

2022.8.27／週刊現代

「国葬」から「決定的不信」へ

元首相が白昼銃殺される重大事件を契機として、主に与党内の右派を中心とする政治とカルト宗教のズブズブぶりが露呈し、しかもその元首相の「国葬」を閣議決定のみで強行した政権の支持率が急落したのは、政権はもちろん与党にも存外に重く深いダメージを与える予感がしている。政治記者でもない私の肌感覚に過ぎないが、本稿ではその理由について記してみたい。

この国では近年、ひどく薄っぺらなナショナリズムや排外主義が政治にもメディアにも横溢した。妙に勇ましい喧嘩腰で隣国と対峙するのが外交の基本姿勢と化し、メディア界でも隣国を悪し様に罵《ののし》るヘイト本の類いを数多《あまた》の出版社が量産し、テレビにしても隣国の事故や混乱を上から目線で嘲笑する番組が目立った。

いずれも醜悪な風潮だと私は思ったし、各所で批判もしてきたが、そうした風潮を政界の先頭で扇動してきたのが元首相であり、盛んに囃《はや》し立てたのが元首相の取り巻きや提灯持ち連中だった。たとえば一大政治問題となった「桜を見る会」の関連映像を見るといい。元首相を囲んで笑顔を浮かべる一群の中に、ヘイト本の著者や関係者が一体何人映りこんでいることか。

もちろん、この国がそんな風潮一色に染まってしまったとは思わない。ポップカルチャーや食品、美容品から文学に至るまで、若年層や女性層を中心に隣国との距離はかつてなく縮まった面もある。しかし一方、政治やメディアが扇動した排外主義的な風潮は、澱《よど》みのようにうっすらと、社会全体に沈着してしまったのもまた間違いない。

背後には、この国が長期の経済停滞から抜け出せず、貧富の差が拡大して社会保障の将来像も描けず、加えて周辺国が飛躍的な経済成長を遂げ、この国の地位低下が進む不安感、焦燥感も横たわっている。だから隣国や周辺国を罵り、いっとき溜飲を下げ、いわば貧すれば鈍するの典型的パターン、「アメリカを再び偉大に」と声高に吠える米国の奇態な為政者や支持者の姿にも通じる。

そこに起きたのが元首相銃殺事件であった。長期「一強」政権の主が国政選挙の最中に殺害される事件はあまりに衝撃的だったが、それが「民主主義の破壊行為」でも「民主主義への挑戦」でもなく、自らがズブズブの関係を続けてきた反社会的カルトへの――しかも「反日」的な実態を持つ隣国由来の宗教への遺恨が犯行動機だった事実には、ひたすら元首相を礼賛する提灯持ち連中はともかく、なんとなく煽られていただけの「うっすらとした支持層」は心底うんざりさせられただろう。

そう、連中は普段口先で勇ましいことを言っても、結局は保身や打算の塊《かたまり》であり、自らの利になると思えば反社会的カルトの支援でも――そればかりか、連中が罵っていた隣国由来の「反日」的なカルト団体だろうと、裏で手を結んで自己利益を貪《むさぼ》る、まさに節操も矜持《きょうじ》もない、それが連中の正体なのだと。

今般の事件を受けた報道にしても、決して硬派でもないテレビの情報番組が教団追及の急先鋒と化しているのは、その姿勢を決して否定はしないが、元首相らが煽った排外主義的風潮の気配もちらつく。つまり、自らが煽った劣情に自らが射抜かれる自業自得。

それは嵐が過ぎれば忘却される不信とは異なり、かなり抜き差しならない不信になりはしないか。野党が四分五裂している政治状況は相変わらずとはいえ、知らぬ存ぜぬの言い逃れで済まされるほど事態は甘くない。

2022.10.8／出典

自称愛国者の薄っぺらな仮面

私が書けば皮肉に受け取られるかもしれないが、しかし、決して皮肉ではなく、どうにも解せないでいる。いや、解せないというより、物事の本質が見事に露《あらわ》になってしまったと書けば、やはりこれは皮肉と受けとられてしまうだろうか。

憲政史上最長の政権を率いた元首相が白昼銃殺されて間もなく3ヶ月。その政治スタイルや所作振る舞いからアンチが相当数いるのは当然にせよ、彼を熱心に持ちあげていた人びと、熱烈に支持していた人びとは、いったいいま何を考えているのか。なぜ事件の原因を徹底解明しようとせず、解明せよと叫び声を上げることさえせず、嵐が通り過ぎるのを待つかのようにただ首をすくめているのか。

すでに報じられている通り、元首相を銃殺した男は、カルト教団に人生を破壊された遺恨が犯行の動機だと供述し、メディアの関心は政治と教団の関係に集中している。

なるほど、たしかにこの国の戦後政界の一部はそのカルト教団と怪しい蜜月を築き、まるで共依存のような関係を続け、それが教団の活動に一種のお墨つきを与え、近年は元首相がその中心的存在の1人だったのは間違いないらしい。だが、だからといって元首相が銃殺されて構わないはずはない。殺害を容認することなど断じてできはしない。

だから、真摯に考える。元首相はいったいなぜ、殺害されてしまったのかを。この国の憲政史上最長の政権を率いた元首相が白昼銃殺されるという重大事は、いったいなぜ起きてしまったのかを。

もちろん、警察の警備の手抜かりといった直接的な瑕疵《かし》も見逃すことはできない。それはそれとして徹底検証が必要な課題であり、すでに警察庁長官らが事実上の引責辞任に追い込まれてもいる。

しかし、根本的な要因にまで眼を凝らせば、元首相を殺そうと思い詰めるまでに1人の男を追い込んだカルト教団の反社会性に行き当たる。しかもカルト教団によって苦悶《くもん》の底に突き落とされたのは決して彼1人でなく、現実には何百、何千、何万もの被害者が存在することも私たちはあらためて知らされた。さらにいえば、そのカルト教団の実態が極度に反社会的なだけでなく、相当に〝反日的〟な教義を内部に抱えていたことも——。

ならば、反省すべきは反省し、同時に腹の底から憤らなければならない。野放しにされたカルト教団によって夥《おびただ》しい数の被害者が生み出され続け、ついには元首相が銃殺される重大事件まで引き起こされてしまったことを。

元首相の政治思想や政治姿勢には微塵も賛意を覚えなかった私ですら憤りを抱くのだから、元首相の姿勢や各種政策を高く評価し、再登板すら望んでいた者たちは、その元首相が理不尽に殺されてしまったことを心底嘆き、強く憤り、猛《たけ》り、その原因となったカルト教団に満身の怒りをぶつけて当然ではないのか。

なのに、現実はどうか。元首相をひたすら称揚して追随していた者たち——特に政界の追随者たちは、教団との関係を追及されて自らに火の粉がかかるのを恐れ、まさに嵐が過ぎ去るのを待つかのように首をすくめているのみ。一部の追従者は教団との関係をメディアに追及され、「知らなかった」「指摘されて初めて知った」などとトボけるだけ。

バカを言ってはいけない。票集めのために動員されたポッと出のタレント議員の類ならともかく、当選回数を積み重ねたベテラン議員があのカルト教団とその本質を知らなかったはずがない。

いや、もし本当に知らなかったというなら、自らの不明を心から恥じ、自らが称揚した元首相の死を嘆き悲しみ、その命を奪う原因となった教団に全力の怒りをぶつけて事態の解明に全霊を傾けるべきではないのか。

だが、自らの過ちも含めてすべてを明らかにし、身を投げ打って教団を追及しようと声を上げる者は1人たりとも出てこない。結局のところ、彼ら彼女らの本性はその程度だということなのだろう。

自らが称揚し続けた政権の主が銃殺されるという決定的重大事を前にしても、悔い改めることもなく、憤りを露にすることもなく、政治生命を賭けて真相の解明と教団の追及に全力を傾けることもなく、カマトトぶって嵐の過ぎ去るのを待つ。国の誇りとか、国を愛せとか、国民の生命を守るのが政治の使命などと常日ごろは勇ましいことを口にしていても、いざとなれば我が身の保身と政治的打算が第一。今回の歴史的重大事件は、そういう自称愛国者たちの薄っぺらな仮面も無惨に引き剝がして見せた。

2022.10／月刊日本

恥の祭典

やや長くなるが、まずは次の一文を読んでいただきたい。

〈州は1年以上、五輪招致の可能性を評価してきた。この大会がアスリートやスポーツファンにとってエキサイティングであることは承知している。だが州は、計画による利益とコスト、起こり得るリスクを比較検討する責任を負う。

この計画は数十億ドルの直接費用を要し、保証や賠償責任のリスクもあり、人びとが現在直面する問題に対処する政府の能力を脅かす恐れがある。慎重に検討した結果、州は招致支援を辞退する〉

〈私たちの政府は、人びとが必要とするサービスを拡充し、より安全な未来を築くことに重点を置いている。競合する多くの優先事項や課題がある中、私たちは生活費や医療、住宅、治安、そして力強い労働力の構築に焦点を当て、人びとを第一に考える〉（傍点は引用者）

こうして読んでいると、五輪という巨大イベントの招致と開催に狂奔《きょうほん》し、膨大な公金を費やしたどこぞの国と都市に皮肉を投げているのかと勘繰りたくもなるが、これはカナダのブリティッシュコロンビア州が２０２２年10月27日付で発した声明の一部である。

同州では南部の都市バンクーバーが２０３０年冬季五輪の招致に名乗りを上げ、カナダ五輪委員会は財政面を含む州の関与を求めていた。

そこで発せられたのがこの「招致支援辞退」の州声明である。現地からの報道によると、カナダ五輪委は招致活動継続の意向を示しているものの、州政府が支持に転ずる見込みは低く、バンクーバーは招致運動から離脱する可能性が高い。

こうなると俄然〝有利〟となるのが札幌である。周知のように札幌も２０３０年冬季五輪の招致に名乗りを上げていて、カナダ・バンクーバーが離脱すると、ライバルとして残るのは現時点で米ソルトレークシティのみ。だが米国では２０２８年にロサンゼルスで夏季五輪開催が予定されていて、夏季と冬季の同一国連続開催を避けるなら、札幌が何歩も前に抜け出した形となる。

だが、そううまくいくかはもちろん見通せない。コロナ禍の昨年強行された東京五輪の記憶は生々しく、検察による五輪汚職捜査もいまだ進行中。あらためて振り返るまでもなくこの東京五輪は、各国アスリートの活躍はともかくとしても、開催都市としての無惨さは常軌を逸していた。招致段階での贈賄疑惑。当初予定より大幅に膨れ上がり、兆円単位にも達した開催費。直前まで関係者の醜聞《しゅうぶん》が続々発覚し、世界に喧伝《けんでん》されたこの国の因習や差別意識。そしてスポンサー選定などをめぐって背後で飛び交った薄汚い金。控えめに評しても「恥の祭典」である。

しかし、「恥」を振り返って自戒するにとどまらず、巨大化、商業化の弊害が極に達した五輪の功罪を正面から再考する必要もある。その際、冒頭の州声明はごく常識的だが、だからとても参考になる。

確かに五輪はアスリートやファンにとって「エキサイティング」かもしれない。しかし利益とコスト、リスクを検討せよ。競合する多くの課題がある中、私たちは何を優先するのか。直接費用だけで数十億ドル以上かかるイベントか、人々の生活や安全な未来か、答えは自ずと明らかだろう。と同時に、そうして真っ当な判断から招致に名乗りを上げる都市が消えることは、五輪の異様な巨大化、商業化に歯止めをかけ、スポーツイベントとしての正常化を促す梃《て》子《こ》にもなる。そのほうが結局は五輪のため、とも言える。

2022.11.12／週刊現代

「経済安保」の正体

　米中の覇権争いを背景とし、主に中国を念頭に置いた、いわゆる経済安全保障推進法案があっさりと衆議院を通過した。またぞろ警察組織などの権限を大幅拡大させかねないうえ、その無茶な介入をおそれて自由な貿易や技術開発、イノベーションなどが阻害されかねない悪法である。にもかかわらず野党もメディアもさほど抵抗する気配がない。うんざりするが、やや難解な法案の問題点をできるだけ平易に指摘しておきたい。

　法案は、①半導体など重要物資の供給網の強化と監視、②基幹インフラの防御と安全性強化、③先端技術開発の政府支援と官民協力、④特許非公開制度の導入――の4つが大きな柱とされる。

　このうち①では指定物資の貿易に関わる企業への政府調査が可能となり、②では「安全保障上の脅威」となる国の製品が使われていないか政府の事前審査が行われ、③や④では民間研究者にも守秘義務などが課され、違反者への刑事罰までが盛りこまれている。

　なのに法案は、驚くべきことに規制品目や審査対象といった具体的運用方法を明示していない。政府は今後、政令や省令で定めていくと嘯《うそぶ》いていて、これでは時の政権の恣意的な運用が懸念され、企業側には過剰な忖度や萎縮が広がりかねない。

畢竟《ひっきょう》、政府の恣意で調査されたり罰を受けたりしかねず、企業側は〝自己防衛〟のため、従来以上に官僚の天下りを受け入れる不健全な動きも強まるだろう。いや、それが法案に秘められた真の狙いなのではないか、とすら訝《いぶか》る。

また、恣意的な運用が可能な刑事罰も盛り込まれ、警察などによる不当な介入の余地が広がる。そこで個人的に思い出すのが化学機械メーカー・大川原化工機をめぐる事件。同社は横浜市に本社を置く社員90人ほどの中小企業だが、主力の噴霧乾燥機は国内シェアの7割を占め、いわばこの国の産業を支えてきた優秀な町工場の典型である。

その大川原化工機に警視庁公安部の捜査が襲いかかった。生物兵器製造にも転用可能な機器を中国に不正輸出したとして社長ら3人が逮捕されたのは2020年3月。続いて公安部は韓国への不正輸出容疑でも再逮捕し、東京地検は3人を起訴した。

ところが初公判期日のわずか4日前、地検は起訴を取り消す。検察が起訴を取り消すのは異例であり、初公判直前の取り消しなど異例中の異例。詳細を記す紙幅はないが、公安部の無茶な見込み捜査では公判を維持できないと地検が判断し、すごすごと白旗を上げたのである。

しかも事件には人質司法といったこの国の刑事司法の悪弊も凝縮され、社長らは300日以上も勾留され、同社は経営面でも甚大な被害を受けた。また、技術部門の元役員が勾留中に体調を悪化させ、命を落とす悲劇まで引き起こされた。背後には「経済安保」の掛け声を強める政治の意向が横たわり、外事部門を増強してきた公安部の存在意義アピールといった醜悪な打算も垣間見える。そうして優秀な町工場が血祭りにあげられ、潰れかねない状況にまで追い込まれた。

ならば、せめて恣意的な運用が行われぬよう法案にもっと明確な歯止めをかけ、同時に警察による不当な捜査介入を許さぬよう、それを適正に管理する公安委員会制度の整備充実といった方策も整えるべきだろう。あっさり成立させていい法案ではない。

2022.4.23／週刊現代

「戦争狂」の振る舞い

外交とは、ある意味で妥協の芸術である。国と国とが交渉し、何らかの合意に達するのは、互いにメリットがあると判断した時に限られる。もちろんその時々の双方の国内事情や「国力の差」などは結果に影響を与えるが、一方の主張だけが100パーセント実現する外交などありえない。だから相手国の実情と本音を知悉《ちしつ》し、妥協点を探る知恵が外交のカギを握る。

外交とはまた、防衛と並ぶ安全保障の両輪でもある。万一に備えた防衛力の必要性を否定せずとも、対立する国とでも対話し、互いに敵意を軽減させ、最低限の信頼醸成の努力を常に尽くすこと。そうして決定的対立や紛争を回避するのが本来の安全保障であり、両輪の一方を疎かにし、防衛力の増強のみに軸足を置くのは、「戦争狂」の振る舞いに等しい。

では、この国の現在はどうか。ロシアによるウクライナ侵攻を受け、与党内に「核共有だ」「敵基地攻撃だ」「防衛費をGDP比2パーセント水準に倍増だ」といった勇ましい声が飛び交うなか、つい先日は日米首脳会談が東京で行われ、直後の会見で首相は「防衛費の相当な増額」を明言した。

こうした政府・与党の姿勢ゆえか、ロシアによるウクライナ侵攻の衝撃からか、各紙の世論調査でも「防衛費増」を求める声が多数になっている。だが、すでにこの国の防衛費＝軍事支出は世界9位の水準。仮にこれをGDP比2パーセント水準にまで引きあげれば、実に世界3位の軍事大国に躍り出る。借金まみれの財政のどこにそんな余裕があるのかも疑問だが、両輪の一方の外交はどうか。

　これも先日の日米首脳会談後の会見でのこと、中国が台湾に侵攻した際の軍事的関与の意思を問われた米大統領は、「イエス。それが我々のコミットメントだ」と述べた。歴代の米政権が「あいまい戦略」を取り、公式には米政府も変更していない中、相当に意図的な「失言」だが、これに与党の外交部会長は「最高の失言だ」と喜色満面のご様子。

　そうして〝中国封じ込め〟へと走る米国に唯々《いい》諾々《だくだく》とつき従い、北朝鮮は言うに及ばず、人権や自由、民主主義といった普遍的価値を同じくする数少ない隣国＝韓国とも角を突きあわせたまま。韓国に誕生した新政権から関係改善への秋波を送られても、ボールは韓国側にあるとふんぞり返る空気が与党内には蔓延している。

　少し前に外務省関係者から聞かされて啞然《あぜん》としたのだが、省内で朝鮮半島を担当する外交官は最近、韓国側の非を指摘する情報ばかり政権与党に報告する傾向が強いという。「韓国側の主張や言い分などを伝えれば、猛反発を受けてしまいますから」と。

　これでまともな外交などできるはずがなく、気づけば周辺に最低限の信頼醸成を築けている国はなく、飛び交うのは勇ましい防衛増強論のみ。背後にあるのは狡知《こうち》な計算でも戦略でもなく、実のところ浅薄皮相なナショナリズムと歴史修正主義。
そういえば、ロシアの侵攻を受けるウクライナ政府が支援国に謝意を伝える動画を公表した際、そこに日本が入っていないといちゃもんをつけ、ヒトラーやムッソリーニと昭和天皇の肖像を並べたことにもいきり立ち、これを修正させたと悦《えつ》に入っていたのも与党の外交部会長だった。侵攻に抗う戦闘の最中の国に手前勝手な注文をつけ、周辺に最低限の信頼関係を維持する国がひとつもなく、ひたすら超大国の尻に顔を埋めるこの国の外交は、冷静に俯瞰すれば相当に愚かしくてみっともない。

2022.6.4／週刊現代

ジャーナリズムの病理

本稿が誌面に掲載されるころ、参院選の結果が判明しているだろう。選挙など所詮は水物、結果を予断はしないが、最大の問題は関心の低さ。このところ国政選挙の投票率が極度に低落していて、近年は衆院選（小選挙区）でも50パーセント台に落ち込み、参院選（選挙区）に至っては前回2019年に50パーセントを割り込んだ。

原因は複合的である。まずは政治状況。与党が「一強」を謳歌《おうか》し、野党が「多弱」なら政治に緊張感は失われ、選挙が盛り上がるはずもない。メディア報道の影響も大きい。特にテレビは昨今、開票後の速報には相変わらず血眼となるのに、選挙戦の最中は関連報道を急減させてしまう。

数字がそれを物語る。調査会社エム・データが在京各局の参院選関連の放送時間を集計すると、2013年は49時間以上だったものが2016年は41時間半、2019年は36時間余。6年で13時間も急減した。

もとより旧来型メディアは影響力が減退していて、それだけが投票率低落の原因と断じるつもりはない。ただ、そこにはテレビに限らない、この国のジャーナリズムの根本的な病が凝縮されてはいないかと私は思う。

大前提として記しておくが、正当な選挙報道を制約する法律など存在しない。よく知られるように放送法は4条で「政治的に公平であること」とうたうが、これは政府や外部からの介入を許す規定ではもちろんなく、あくまでもテレビ側が番組を自立的に編集する際の「倫理規範」。また同法が1条で「放送の不偏不党、真実及び自律を保障する」と記していることを踏まえれば、同法は権力の介入で放送の自立性が歪《ゆが》められるのを防ぐものにほかならない。

一方、公選法は政見放送などの平等性を規定し、特定候補への投票を呼びかける「選挙運動放送」を禁じるが、同時に151条で「選挙に関する報道又は評論について（略）番組を編集する自由を妨げるものではない」と明記している。

しかもBPO（放送倫理・番組向上機構）は2017年発表の意見書で「選挙に関する報道と評論は自由」と断じ、「その結果、ある候補者や政党にとって有利または不利な影響が生じうることは、それ自体当然であり、政治的公平を害することにはならない」と太鼓判を押す。

なのになぜ、選挙報道は低調か、答えは難しくない。時の政権や与党が放送法などを捻《ね》じ曲げ、あるいは恣意的に解釈し、陰に陽に圧力をかけてきたから。よく知られるのは2016年、当時の総務相による「放送法違反での電波停止命令」発言。2014年には、衆院選をめぐって与党が「公平公正」を要求する文書をテレビ各局に送りつけた。しかも出演者の発言回数やゲスト選定、街頭インタビューに至るまで「公平中立」を求める異様な内容であり、野党だって類似の要求をしばしば突きつけてきた。

　そんなものは笑って蹴飛ばせばいいのに、テレビの報道現場は明らかに萎縮が広がった。各党を平等に取り上げないと何を言われるかわからないからハリネズミ状態に陥り、だが、そんな番組は面白くなく、視聴率も取れず、ならば面倒なことはやめてしまえ、という悪循環。

　そういえば、国際ジャーナリスト団体「国境なき記者団」が毎年発表する報道の自由度ランキングで、２０２２年にこの国は71位に低落した。これも理由は複合的だが、団体のＨＰに掲載された〝選評〟にはこの国のジャーナリストが「比較的安全な労働環境を享受している」のに「自己検閲」が広がっている、と記されている。選挙をめぐるテレビ報道にも、その病理が無惨に表れている。

2022.7.16／週刊現代

第2章 事件以後——理の眼1

意味に向き合え

選挙演説中の安倍晋三元首相が白昼銃撃され、命を落とすという衝撃的事件について、現時点で記しておくべきこと、記しておかねばならないことをいくつか。

報じられている容疑者の供述等をみる限り、今回の事件を政治テロと捉えるべきかは議論が分かれるところでしょう。ただ、元首相が銃殺された事件のあまりの重大性は、結果的にテロと同じ意味と効果を社会にもたらしかねません。

テロの語源はラテン語の「恐怖」。それは時に暴力の連鎖を生み、時に社会を深刻な萎縮状態に追い込み、闊達な言論や民主政治を窒息させてしまうのです。

だからまずは政治やメディアが決して萎縮せず、語るべきを語り、事件の背景を徹底的に洞察し、明らかにすべきことを明らかにすること。結果として事件の要因等につながる事実や課題、問題点などが浮かび上がったなら、それと真摯に向き合って改善を図ること。

一方で人の死は――ましてその死が衝撃的であればあるほど、すべてをなぎ倒して世を一色に染めてしまう力を持ちます。あらゆるものが美化され、批判や異論は封殺され、問題を問題として指摘することすら困難になってしまう。

まして今回の事件で命を落としたのは、この国の最高権力者を長く務めた元首相。その痛ましい死を悼みつつ、しかしその政権の政策や政治姿勢、あるいは政権下で起きた問題の数々は別のものと捉え、今後も一層の検証、批評を加えていくこと。それを封じる風潮には断固あらがうこと。

と同時に、衝撃的な死を政治利用するような動きには警戒の眼を注ぐこと。そういえば現首相はこの7月11日、参院選の結果を受けて与党総裁として記者会見した際、元首相の「思いを受け継ぎ」「憲法改正などに取り組んでいく」と述べたとか。いや、それはあくまでも政治家としての元首相の「思い」に過ぎず、国の枠組みであり公権力の行使者を縛る憲法をそんな感傷的理由または政治的打算で改めてはならないのです。

にしても、容疑者は調べに対し、世界平和統一家庭連合（旧統一教会）に家庭を破壊された恨みが動機だと供述しているとか。それが事件を容認する理由にならないのはもちろんにせよ、この国の戦後保守政界と同教会の歴史的関係等々を思えば、事件には政治テロとはまた別の意味と背景が付与されます。これもまた闊達な検証と洞察が必要な課題でしょう。

2022.7.13

「政治の意向」

元首相への銃撃事件をめぐってにわかに注目されている旧統一教会。メディアの世界で長く事件取材などを続けてきた者なら、さまざまな局面でその問題点や闇を深く痛感させられてきたでしょう。僕もその一人です。

１９７０年代から社会問題化していた悪質な霊感商法の被害。強引な勧誘や合同結婚式などをめぐる数々のトラブル。重大事件でちらつく影。そして「反共」などを結節点とした政治との蜜月。通信社の記者として90年代に公安警察を担当した僕は、こんな情報を得て取材に駆け回った記憶があります。公安警察が旧統一教会への組織的捜査に乗り出す――と。

当時の教団は、故・文鮮明教祖が北朝鮮を訪問するといった奇異な動向も見せており、どのような方向性で公安警察が動くのか、しかとはわからないままでしたが、いつしか動きはパタリと止まり、幹部は理由をこう漏らしたのです。「政治の意向だ」と。

おかしな話だと感じつつ、妙に納得もしました。政権や与党と旧統一教会の深く怪しい関係は当時もほぼ公然の事実。文氏が92年に来日した際、与党実力者だった故・金丸信氏が影響力を駆使したことなどは新聞各紙が伝えていました。文氏は米国で禁錮1年超の有罪判決を受けており、本来は入管法の規定で入国できなかったのに、金丸氏が動いて特例で入国させた、と。実際に文氏は来日中、金丸氏と会談しています。

以後も与党の右派系政治家を中心とし、選挙や復古的思想などさまざまな利害を通じて教団との蜜月は続きます。一方、教団は２０００年代に入っても関連団体が悪質商法問題などを全国各地で引き起こし、信者らが警察に逮捕される事件も数知れず。しかし、捜査はいずれも散発的なものにとどまり、教団は現在に至るまで活動を継続。多額献金で破産したという容疑者の母も、その被害者の一人だったのでしょう。

だから悔やまれるのです。もし警察が「政治の意向」などに左右されず早期に大々的な捜査に乗り出していれば、被害者はこれほど増えなかったのではないか。そうすれば強烈な遺恨を抱く者も生まれず、元首相が落命する重大事件も起きなかったのではないか。ならば当然、政治と教団の歴史的関係を含む背景の徹底解明と真摯な省察は必須ということになります。

2022.7.20

「病巣」が残る

2008年に東京・秋葉原で17人を殺傷した加藤智大《ともひろ》死刑囚の刑が7月26日に東京拘置所で執行されました。断じて許し難い凶行ではあったものの、果たしてこれでいいのかと僕はあらためて深く首をひねるのです。

まずは国際的趨勢《すうせい》を知るべきだと思うので何度も記しますが、国家が人の命を奪う死刑制度は廃止が世界の圧倒的潮流になっていて、国際人権団体アムネスティ・インターナショナルの最新のまとめによると、死刑を廃止した国はすでに108、一定期間執行のない事実上の廃止国などと合わせるとその総数は世界の国の7割超にあたる144。

対して昨年に死刑を執行したことが判明している国はわずか18。そこに日本も含まれ、いわゆる先進民主主義国で死刑制度を維持しているのは米国の一部州と日本のみ。今回の執行で日本は今年も死刑執行国として名を連ねることになります。

そうして死刑に固執し、僕たちは何を目指すのか。死刑の存否が治安状況に大きな影響を及ぼさないことは廃止国で示されていて、逆に昨今は「死刑になりたかった」と動機を語る犯罪が何件も発生、被害者や遺族の心情は重くても死刑で被害者は戻らず、しかし誰もが被害者になる可能性があることを考えれば、愛する者を突如奪われた人びとのための社会的、経済的支援などを一層充実させていくことこそ肝要でしょう。

　同時に、事件や犯罪の背景に目を凝らすこと。多くの事件や犯罪には時代や社会のゆがみがへばりついていて、加藤死刑囚もその気配は濃厚に漂っていました。複雑な家庭に育ち、学校を卒業後は極度に不安定な派遣労働を転々とし、孤独の底でネット世界の妄想に浸り、鬱屈を暴発させて起きた事件。だからといって犯行を是認などできないにせよ、何かひとつ歯車が違っていれば事件は防げたのでは、とも思うのです。

　元首相銃撃事件で逮捕された容疑者にも同じようなことが言えそうです。母が宗教にだまされて家庭は破綻し、進学を断念せざるを得なかったという容疑者もまた職を転々とする不安定な日々を送り、募らせた遺恨をゆがんだ形で元首相に向けた──。

　図らずも両者は１９８０年代初頭の生まれで、バブル崩壊後の経済低迷期、不安定な労働や格差、貧困にあえいだロスジェネ世代。死刑でその存在を消去しても、病巣が残れば類似の犯罪は繰り返されるのですから。

2022.7.27

隠微な蜜月

安倍晋三元首相の国葬に「反対」の声が半数を超え、旧統一教会と政界の関わりについては実態解明の「必要あり」が8割超、そして内閣支持率は12ポイント以上も一気に急落――そんな結果が示された共同通信の世論調査（7月30、31日実施）は、政権と与党にとって相当な衝撃だったでしょう。

この結果を素直に読めば、元首相が銃殺された重大事に多くの人びとが驚愕しつつ、しかし国会の議論さえなく一方的に国葬を決めた政権の姿勢に首をひねり、事件を機に噴出した旧統一教会と与党のズブズブの癒着に強い疑念を抱いている――そんな民意であり、至極まっとうな反応に思われます。

ただ、一方で僕たちはこの状況を冷静に眺める必要もあります。特に、元首相が銃殺された事件がパンドラの箱を開け、それによって旧統一教会と政権与党の蜜月が白日の下にさらされつつある――といった捉え方は、暴力による〝問題提起〟を結果的に肯定し、暴力の連鎖を誘発する危険性さえはらみます。

しかし、実際は物事の順序がまったく逆なのではないか、と僕は本欄で書いてきました。旧統一教会は古くから霊感商法をはじめとする数々の異様な社会問題を引き起こし、各地でおびただしい被害が報告されてきた極度に反社会的なカルト教団。本来なら行政や警察がもっと早い段階で実態解明のメスを入れ、その反社会性を社会で広く共有し、摘出すべき膿《うみ》を取り除く必要も機会もあったのに、それがなされなかった。僕が通信社の記者だった1990年代の取材経験も本欄で記しました。警察による教団への捜査が「政治の意向」でストップさせられたのではないか、と。

そうやって教団の反社会性が放置、温存されたからこそ被害はずるずると拡大し、その澱が積もりに積もり、ついには暴発して元首相が銃撃される重大事件に至ってしまったのではないか、と。

そう考えれば、「何が問題かわからない」（与党総務会長）といった開き直りはもちろん、「それぞれ丁寧に説明するのが大事」（首相）などとヌルいことを言っている場合でもなく、まさに8割超の世論が求める教団と政治の隠微な蜜月の実態解明とその根絶は必須の作業。それをせずにあいまいな態度に終始すれば、これまた政治への失望と諦めが暴力を誘発する火種になりかねないのです。

2022.8.3

復古的家族観

このコラムでは選択的夫婦別姓制に何度か言及してきました。試しに記事データベースを検索してみると、最近5年で同制度に触れたのは計8回。我ながらしつこいと感じつつ、今回もしつこく書きます。ジェンダーギャップ指数が世界最悪レベルの国で、どう考えても非合理な主張が制度導入を阻《はば》んできた理由と、そのことの意味をいまあらためて考察する必要があると思うからです。

実に四半世紀も前の1996年、法相の諮問機関である法制審議会が制度の導入を答申し、世論調査でも賛成の声は増えているのに、いまだに制度導入が実現しないのはなぜか。

そもそも制度の本質を考えれば、導入されないのが異様なのです。あくまでも「選択的」な制度ですから、希望する者が別姓を選ぶだけの話。従来通り同姓を望む者は同姓にすればよく、誰に迷惑をかけるわけもなし。現在の「強制的夫婦同姓制」ともいうべき制度から脱し、多様で自由な生き方の選択肢を広げるものであり、その点では同性婚なども同様です。

なのに制度導入が阻まれてきたのはなぜかといえば、極度に復古的な家族観に固執する勢力が与党内にいて、制度導入の機運が高まるたびに強硬な反対論を声高に唱えてきたから。彼ら彼女らの背後には、同じく復古的家族観に固執する右派団体の存在があり、その中核は一種の宗教右派勢力とでも呼ぶべき一群。

神社本庁などが結集する右派団体・日本会議はその代表格であり、いままさに政治との怪しい蜜月が問題化している旧統一教会も有力勢力のひとつ。その主張はいかなるものか。日本会議の幹部はかつて制度反対の理由をこう書いています。「実質的な不倫の勧めになる」「家族の絆を断ち切る戦略の第一歩」「家族制度を否定した旧ソ連の悲劇を再現する」……。

これを真に受ければ、日本以外では不倫が蔓延し、家族の絆は断ち切られていることになってしまいます。あまりに非合理な妄想に失笑すら禁じえませんが、彼ら彼女らは相当真剣に妄想を信じこんでいて、そこに共通してちらつくのは、まるでカビの生えたような「反共」思想や極度に偏狭で排他的な「宗教性」。

ならば、いまこそ政治が選択的夫婦別姓制の導入に真正面から取り組んでみては。政治に対する宗教の怪しい影響を断ち切る契機にもなるでしょうし、なにしろ現首相は「選択的夫婦別氏制度を早期に実現する議員連盟」のメンバーでもあるのですから。

2022.8.17

恥のかき捨て

聞くは一時の恥、聞かぬは一生の恥。そんな格言の意味をいまさら解説の要はないでしょう。知らないことを聞くのは恥。でも、知らぬまま放っておくのはもっと恥。まことにその通り。つまり、いずれにしても無知は恥。

とはいえ世の中は知らないことだらけ。だから誰もが日々学び、聞き、知ろうと努めるのですが、昨今の政界には無知を恥と捉えないご仁が大量増殖中の様子。いや、もっと正確に記せば、「無知の恥」と「保身」をバランスにかけ、文字通りに恥も外聞もなく後者を優先させている、ということなのでしょう。

そう、旧統一教会との怪しい関係を次々指摘された政治家たちは、そろいもそろって「旧統一教会やその関連団体とは知らなかった」とか「指摘を受けて調べて初めてわかった」などと「無知」全開。

でも、長年政界を遊泳してきたベテラン政治家が旧統一教会やその関係団体を把握していなかったとか、果ては旧統一教会がどういう団体か知らなかったなんて、誰がどう考えたってうそ、控えめに評しても詭弁。

逆にそれが本当なら、政治家としての基本的資質すら問われかねないのに、無知の恥をかき捨てているのは、「知っていた」となればさらに突っ込まれ、では教団とどういう関係だったのか、具体的にどんな利害があったのか、さらには反社会的な教団と親密だったことの責任を問われてしまいかねないから。

だから平然とうそや詭弁で言い逃れ、とりあえずはこの嵐をやり過ごしてしまおうという浅ましき算段。でも、こうした態度が政治と社会に果たしてどんな影響をもたらすか。恐るべきことですが、もはや無知は恥ではないのです。だから知らず、聞かず、聞かれたらトボければよし。その場を乗り切れるなら、幼稚なうそや詭弁もお構いなし。それでもいよいよ追い詰められたら、責任を「痛感」はしても「取る」ことはなし。まさにこれが現下日本政治の風景。

そうやって政治への最低限の信頼もモラルも溶解し、眼前に広がるのは恥知らずたちの荒野。反社会的団体と政治の怪しい蜜月ももちろん深刻な問題ですが、こちらの方が政治と社会に与えるダメージはより広く、より深いようにも思うのですが。

2022.8.24

政治と警察の蜜月

7年8ヶ月に及んだ第2次安倍政権は、経産官僚とともに警察官僚を厚く重用したのが大きな特質でした。霞が関官僚トップとして各省庁を差配する官房副長官には一貫して元警察官僚が座り、幹部官僚人事を牛耳る内閣人事局が新設されるとその局長も兼務。また、これも同政権下で新設され、外交防衛政策の企画立案などにあたる国家安全保障局長にも元警察官僚が起用されました。

つまり、省庁の差配から官僚人事、さらには外交や防衛政策に至るまでを警察官僚出身者が差配し、戦後例のない〝警察政権〟ともいえる態勢だったのです。

先ごろ警察庁長官を辞職した中村格《いたる》氏も、明らかにその一角にいた警察官僚でした。政権で官房長官秘書官を長く務め、一部週刊誌からは「官邸の番犬」と評され、首相らと親しい関係にあった元テレビ局記者が性暴行問題で告発された際は、警視庁刑事部長だった氏が執行直前の逮捕状を握りつぶした、と報じられました。真相は不明ですが、政権との近さがそうした指摘に信ぴょう性を与えたのは間違いないでしょう。

そんな警察官僚が警察組織のトップにまで栄達し、しかし自らを重用してくれた政権の主が銃殺される重大事件の発生を許し、その責をとる形で辞職に追い込まれるのは皮肉な話ではありました。ただ、それで済ませていい問題か、とも思うのです。

警察組織は他の役所と異なる独特の治安官庁であり、全国津々浦々に約30万人もの職員を配し、頭抜けた情報収集力に加えて機動隊といった実力部隊も擁し、多くの警官は拳銃を所持し、強制捜査や逮捕権限まで持つ巨大権力機関。だから戦後日本は、主に民間人から選ばれる公安委員会が各地の警察を民主的に管理し、政治が警察に直接介入したり、逆に警察が政治に干渉したりするのを排除する制度を整えたのです。

しかし、第2次安倍政権は警察官僚が政権中枢に深々と突き刺さり、特定秘密保護法や共謀罪法といった治安法を続々と手にしてきました。だからこそ警察官僚は政権を支え、中村氏の経歴にもその顕著な片りんが刻まれています。歴代の警察庁長官は、現場最前線のトップである道府県警の本部長を経験しますが、氏は経験なし。逆にその間、政権に仕えて栄達を果たしたのです。

この政治と警察の蜜月は適切だったか。公安委制度の強化充実を含め、これを機にもっと広く深く再考すべきことは多いでしょう。

2022.8.31

闇に光を当てる

9月5日付の毎日新聞朝刊1面トップに掲載された記事は、未知の事実を独自取材で掘り起こすと同時に、重要な問題提起も含む見事な特ダネでした。〈衛星画像　捜査利用179回　警察庁、業者に1億円〉。全国の警察が商業衛星などの画像を捜査に使っているにもかかわらず、活用実態や使途を明らかにしてこなかった、というのです。その購入回数は2020年度までの5年で実に179回、要した費用は1億円超――。

僕は通信社の記者時代に公安警察を担当し、その実像を1冊のルポにまとめたことがあります（『日本の公安警察』講談社現代新書）。ただ、これは20年以上も前の話。デジタル技術などの飛躍的な進歩に伴って状況は激変し、公安部門をはじめとする警察組織がそれをどう活用しているのか気になっていました。

実際、近年は監視カメラ映像が捜査に使われるのが日常風景と化し、捜査対象者らの追跡にGPS（全地球測位システム）を秘密裏に活用していた事実も発覚。これについては最高裁が17年、裁判所の令状なしの活用は違法との判断を示しましたが、衛星画像までひそかに利用されている事実を情報公開請求などでつかんだ記事は、闇の一端に光を当てた貴重な仕事といえます。

　一方の警察にしてみれば、捜査に役立つならあらゆる技術を活用するのは当然、という理屈なのでしょう。ただ、日々進歩する各種技術の活用をやみくもに許せば市民のプライバシーは丸裸にされ、超監視社会化してしまいかねないのですから、裁判所の令状にとどまらず、法律などによる適切な歯止めや外部チェックのための情報公開は必須。記事中で「警察任せの運用は目的が正当かチェックが働かなくなる恐れがある」と識者が指摘しているのはまったくその通りでしょう。

　もう一点、メディアと情報源という観点からも今回の特ダネは意味深いものがあります。多くのメディアにとって警察は、事件や事故の取材時の重要な情報源。だから新聞は各地の警察に多数の記者を張りつけ、古くから新人記者はサツ回りに駆け回るのですが、情報源であるがゆえにメディアや記者の目は往々にして曇り、時に妙な忖度が生じ、時に警察と一体化したような取材まで横行し、問題点を指摘したり批判を加えたりする力が薄れてしまいがち。今回はそうした気配が皆無なのもお見事でした。

2022.9.7

愛国者たちの本性

元首相が白昼銃殺された衝撃的事件からはや2ヶ月。事件を機に旧統一教会（世界平和統一家庭連合）と政治の怪しい蜜月が一大焦点となり、政権が一方的に決めた国葬への批判も強まる中、不思議で仕方ないことが僕にはあります。元首相の政治姿勢や各種政策を称揚し、ひたすら追従してきた政治家たちはいま一体何を考えているのか。

あらためて記すまでもなく元首相を銃撃した容疑者は、旧統一教会に人生を破壊された遺恨が犯行動機だと供述しているようです。確かにこの国の保守政界は教団と怪しい蜜月を続け、それが反社会的なカルト教団に一種のお墨つきを与え、近年は元首相がその中心的存在だったのは各メディアの取材でも浮き彫りにされた事実。

ただ、それが元首相を殺害して構わない、などという理屈には断じてならないはず。だから深刻に考えるのです。この国の憲政史上最長の政権を率いた元首相が銃殺されるという重大事件をなぜ起こしてしまったのかを。

もちろん警察の警備の手抜かりといった瑕疵もありますが、もっと根源的な問題は旧統一教会の反社会的活動を長年放置してきてしまったこと。そうして被害が継続、拡大し、ついには元首相を殺害しようとまで思い詰める男を生んでしまった。

ならば、教団の反社会的活動に歯止めをかけられなかった政治の責任が痛切に問われます。まして元首相を称揚していた者たちこそ、その元首相の喪失に悲憤慷慨《ひふんこうがい》し、原因を作った教団を徹底指弾して問題点にメスを入れ、被害者救済などに全力を傾けるのが本来の姿。

なのに現実はどうか。元首相に追従していた政治家の多くが教団との関係を追及され、「知らなかった」「指摘されて初めて知った」「記憶も記録もない」などとトボけるだけ。当選を重ねたベテラン政治家が教団の本質を知らぬはずはなく、もし本当に知らなかったなら、それこそ自らの無知と不明を恥じ、悔い改めて教団の追及に乗り出すべきでしょう。

でも、自らの過ちを含めてすべてを明らかにし、政治生命を賭して教団と対峙《たいじ》する者は皆無。結局のところ我が身の保身が第一、自らに火の粉がかからぬよう首をすくめて嵐が過ぎるのを待つ算段。国の誇りとか愛国とか、普段勇ましい言辞を吐く者たちの本性を、僕たちはいま目撃させられているのです。

2022.9.14

金で動いたのは誰か

ＮＨＫが昨年放送した番組「河瀬直美が見つめた東京五輪」について、テレビ各局で作る第三者機関「放送倫理・番組向上機構（ＢＰＯ）」が先日、「重大な放送倫理違反があった」とする意見を公表しました。９月13日付の本紙社説も指摘したように「公共放送としての資質が疑われる事態」です。

「五輪公式映画」を制作した河瀬氏に密着したこの番組は、顔にボカシを入れた男性を「五輪反対デモに参加している」と紹介し、そこに「実はお金をもらって動員されていると打ち明けた」というテロップを添えていました。しかし、男性は五輪反対デモに加わっておらず、取材にもそう語っていたのです。

だからＢＰＯ委員も記者会見で「半ば捏造的」「単なる過失ではない重過失」と指弾したのですが、一般的な市民デモや集会で参加者に金銭など支払われないのは、多少でも取材経験のあるメディア人なら常識の範ちゅうに属する事柄。なのになぜこんなテロップへの内部チェックすら利かなかったのか。

数年前に民放テレビが放送した「ニュース女子」なる番組も、沖縄で米軍基地建設に反対する人々に「日当」が支払われているなどと報じ、やはりBPOから「重大な放送倫理違反」を指摘されています。そして今回。ゆがんだデマにメディアまで毒されている現状について、今年1月の本コラムで僕はこう書きました。

〈金銭や利害損得とは別の次元で動く人びとも世の中にはいて、それが政治や社会を少しずつでも進歩させてきたのです。そのことへの想像力も洞察力もなく、誰もが金銭や利害で動くと考えているなら、これは常識の欠如に加え、すさまじいまでの精神の退廃。そうではなく意図的に民主的な意思表示を貶《おとし》めたなら論外の所業。いずれにせよ自らの卑しさを告白しているに等しく、訂正と謝罪で済む問題ではなさそうです〉(一部略)

この思いは変わりませんが、いまとなってみれば少々別の、皮肉交じりの感慨も湧いてきます。招致や開催強行に反対の声も多かった東京五輪に関し、金銭や利害で動いていたのは一体誰だったのか。スポンサー選定をめぐる贈収賄事件の検察捜査が続く五輪組織委の実態などを見れば、「実はお金をもらって動員されてい」たとは開催に狂奔した面々にこそピッタリのテロップ。もちろん顔にボカシを入れる必要もありません。

2022.9.21

「愛国」を侵蝕する「反日」

9月27日に実施された安倍晋三元首相の「国葬儀」は、各地で抗議の声が響く中、元首相の政治姿勢を凝縮したかのようなセレモニーになりました。すでにさまざまな問題点は指摘されていますが、まず重大なのは首相自身が「国葬儀」を「故人に対する敬意と弔意を国全体として表す儀式」（8月10日の記者会見）と定義づけながら、閣議決定だけで強行してしまったことでしょう。

野党への根回しなどはおろか、国権の最高機関たる国会に一切諮《はか》らないまま「弔意を国全体として表す」とは傲慢そのものですが、考えてみればこれは元首相の〝得意技〟。なにしろ閣議決定で憲法解釈まで覆したのですから、現首相もそれに倣ったのか、この程度なら構わないと感覚がすっかりと麻痺したのか。

抗議の喧騒の中での開催も、いかにも元首相らしい光景です。「こんな人たちに負けるわけにいかない」という台詞に象徴される通り、自らの支援者や「お友だち」には大小の利益誘導を図る一方、「敵」とにらんだら口を極めて罵り、陰に陽に圧力も加えるのもまた元首相お得意の政治手法。

だから今回も、ある程度のアンチはいても、元首相が遊説中に銃殺された衝撃も考えれば、大方の人は納得すると首相は読んだのでしょう。ところが旧統一教会（世界平和統一家庭連合）問題は完全に誤算。事件後に政治と教団の怪しい蜜月が次々問題化するにつれ、「国葬儀」にもあれよあれよという間に反発が強まり、ついには全主要メディアの世論調査で反対が圧倒的多数に。しかし、ここにも元首相の政治姿勢が逆照射されているように思うのです。

「日本を取り戻す」。「美しい国」。そういったフレーズを盛んに掲げた元首相は、僕に言わせれば薄っぺらなナショナリズムや排外主義的な風潮をあおり、隣国などとの関係も極度に冷え込ませました。その元首相が隣国由来の反社会的団体と――しかも「反日」的と指摘されるカルト教団と蜜月だったという言行の凄まじい乖離に、熱烈な支援者はともかく、多くの人が心底失望したでしょう。

だからこそ高まった反発の中で強行された「国葬儀」。つまり、自らの政治姿勢が回り回っていま政権や与党までを貫き、根底から揺るがしている。それについて泉下の元首相はどう考えているのか、尋ねたくとも、もはやかなわないのが残念です。

2022.9.28

挑発

——旧統一教会主催のイベントに出席した件、大臣も現在は記憶があるということか。

「2018年の会合は、現在の代表（韓鶴子《ハンハクチャ》総裁）にお会いしている。私自身、代表にどこかでお会いした記憶はあったが、事務所に記録が残っていないので確認できなかった。マスコミからご指摘をいただき、写真を見て、ああこの時だと確認した」

——代表に会った記憶があると初めて聞いたが、これまで説明しなかったのはなぜか。

「大臣として答弁する以上、不正確なことをお伝えするわけにいかない。どこかで会ったことは覚えていたが、それがどこだったかわからない以上、話をするのは不正確なのでしなかった」

——いま大臣の記憶で、ほかに教団との関係で思い当たることは。

「残念ながら、いまの段階で何か自分に記憶があるかというと、ない。しかし、私どもには記録がなく、私自身は当該団体と接点があったから、ほかにも会合に出席した可能性はある。それを否定するわけではないが、自分自身で確認するすべがない。

だからさまざまなところから指摘を受け、資料が私のところになくてもネットなどに残っている資料があり、自分自身がどういう行動を取ったかを確かめてきた。これからもそういうことがあるかもしれないが、新しいものが出てくればすみやかに対応したい」

以上は、旧統一教会との関係を追及された経済再生担当相の、10月3日の記者会見でのやりとり。長々と紹介したのは、指摘されるまで知らぬ存ぜぬを決め込む、という露骨な本音を大臣自ら公言したに等しく、与党の「点検」なるものの本質が露呈しているから。

ただ逆に考えると、大臣はこう言っているようにも聞こえるのです。正直者がバカをみる〝自己申告〟など断じて拒むが、ネットにもネタは転がっているから、マスコミの皆さん、調べるなら調べてみなさいよ。そうすれば思い出してやるし、逃げられなくなったら認めてやってもいいよ、と。

ならば各社の記者諸兄姉、遠慮会釈なく調べ、徹底して追及しよう。これほどあからさまな、しかし、これほど堂々とすっとぼける閣僚の挑発を受け、黙ってるわけにはいかないでしょう。

2022.10.5

醜き風潮

いわゆる〝炎上〟狙いの愉快犯的な言説をまともに扱えば発言主を利するだけという判断か、本紙など主要紙は大きく伝えていないようですが、ネット掲示板の開設者として知られる人物のＳＮＳ投稿がネットで話題になっています。

舞台とされたのは米軍基地建設への反対運動が続く沖縄・辺野古。〈座り込み抗議３０１１日〉と書いた立て看板の脇で、笑みを浮かべた自身の写真とともに〈座り込み抗議が誰も居なかったので、０日にした方がよくない？〉と記した投稿がそれ。

大手テレビ局が運営に携わるネット番組の収録などが目的の訪問らしく、大して深い考えもなく反対運動をちゃかしたつもりだったのでしょう。ただ、この人物はネットで相当な影響力を持ち、ＳＮＳのフォロワー数は２００万超。投稿には28万超の「いいね」がつき、だから沖縄の地元紙は批判的に報じ、県知事が「抗議を続けてきた方々への敬意が感じられず残念」とコメントする騒ぎに。

確かにこれ自体、愚にもつかない言説で本来は無視するのが賢明なのでしょう。しかし一方でこうした言説には、この国の社会の根っこに巣食う醜い風潮が凝縮されているようにも思われるのです。

思い出すのは、同じく沖縄の米軍基地反対運動を扱い、民放テレビが２０１７年に放送したバラエティー番組。ろくな取材もせずに運動を「過激派」呼ばわりし、参加者に日当が支払われているなどと報じた番組は放送倫理・番組向上機構（ＢＰＯ）から「重大な放送倫理違反」を指弾されました。

昨年には、東京五輪反対デモの参加者は金銭で動員されていると伝え、やはりＢＰＯから「重大な放送倫理違反」を指摘されたＮＨＫのドキュメンタリー番組がありました。いずれにも通底するのは、時の政権や大勢の意向にまつろわず、懸命に声をあげる少数者をデマや偏見交じりの言説で揶揄《やゆ》し、冷笑して恥じない風潮の拡散。

今回も明らかにそう。人びとが必死の思いで抗い、必死に声を上げている物事の本質には目も向けず、声を上げる人びとを極めてカジュアルにおとしめ、それに匿名の群衆が喝采を浴びせ、それを〝人気コンテンツ〟として流通させる一部メディア人の度し難き心性。

言説そのものより、言説の背後に流れるそうした醜悪な風潮こそ問題であり、メディアが痛切な批判を加える必要があるように思うのです。

2022.10.12

ご都合主義

いずれも既知の情報ではあり、でもまったく別の話だと捉えていたのに、両者の共通性に気づかされてハッとする——10月13日付の本紙オピニオン面、酒井啓子・千葉大教授の論考は僕をそんな感覚に誘うものでした。

中東政治が専門の酒井氏は、米同時多発テロ＝9・11関連の記事がメディアから減り、以後の「対テロ戦争」もきちんと総括しないこの国の現状を嘆き、こう記しています。〈冷戦という大きな戦いのなかで、西側諸国は反共のために「宗教」を利用してきた〉〈9・11の反省は、そうした冷戦時代のご都合主義的な政策にまでさかのぼる必要がある。米国はイスラムを安易に起用し（略）強烈なしっぺ返しを食らった〉

そう、冷戦期に米国がアフガンで動員した勢力などがテロ組織アルカイダに変貌した事実に思いを至せば、まさに9・11は強烈なしっぺ返し。その上で酒井氏はこう続けるのです。〈日本もまた、冷戦期の宗教の反共政策利用の負の遺産に悩まされるという、全世界的な流れと無縁ではない〉

なるほど、イスラムとカルト宗教とではもちろん位相がまったく異なるものの、利用した側にはたしかに共通点がありそうです。早くから極度の反社会性が問題化していたのに、やはり「反共」を結節点にカルトと蜜月を築き、利用もしてきた、この国の戦後与党の右派勢力――。

だからこそカルトは息を永らえ、被害は断ち切られず、長々と蓄積された遺恨のマグマ。いまそのしっぺ返しを与党は食らっているのですが、ここにもう一つ別の視点を加えることもできそうです。

その右派勢力は従前から復古的ナショナリズムを振りかざしてきましたが、衣鉢《いはつ》を継いだ長期「一強」政権はさらにそれをあおり、この国は近年、排外的傾向を強めてきました。隣国とはひたすら角を突き合わせ、政界やメディアの一部にヘイト言説が飛び交い、政権にまつろわぬ者を「反日」とののしる、そんな風潮。

しかし、実は当の右派勢力が隣国由来の――しかも「反日」的な教義を持つというカルトに侵食され、打算も交えた蜜月を続けた、この強烈なご都合主義。つまり「反共」を大義にカルトを利用し、自らがあおった「反日」攻撃の風潮も相まった二重のしっぺ返し。だから風圧も一層苛烈な現状を与党は自省し、真摯に総括すべき時です。

2022.10.19

巣食った膿

信教の自由はもちろん、憲法が保障する集会結社の自由といった基本的人権を制約する動きにはもちろん警戒が必要です。だから約30年前、オウム真理教が破壊活動防止法に基づく初の解散請求の対象となった際、僕はそれを批判しました。そして今、宗教法人法に基づく旧統一教会への解散命令が議論され、逆に僕はそれぐらい厳しい対処が必要と考えています。なぜか。

後述するように、団体や法人の解散といっても両法は処分の中身も位相もまったく異なり、本来は同列に扱うべきものではありません。また、サリンなどを製造して多くの命を奪う惨劇を起こした教団と、霊感商法や高額献金などで多くの人生を破壊した教団では、その反社会性にも違いがあります。ただ、極度の反社会性を有するカルト宗教と政治や社会がどう対峙するかを考える際、両者を比較するのもあながち無意味と思えないのです。

オウムについては、公安調査庁が破防法に基づく解散請求に乗り出した際、警察の大々的捜査によって教祖ら幹部が軒並み逮捕され、すでに教団は壊滅状態でした。しかも破防法の解散指定は団体そのものの息の根を完全に止める劇薬。一方、宗教法人法の解散命令は法人格を剝奪するだけで、団体の活動までストップさせるものではありません。

また、オウムに集った信者の多くは時代や社会からドロップアウトし、閉鎖集団のなかで妄想と反社会性を暴走させた若者たちでした。だからといって引き起こした犯罪に酌量の余地はなく、相応の刑事罰は当然にせよ、時の統治権力としても厳しく対処することが自らの権力基盤と治安維持をも強固にする、いかにも統治権力らしい発想で向き合える対象でした。

しかし旧統一教会は違います。教団は古くから統治権力そのものの内側に浸透し、特にこの国の戦後政治に影響力を与えてきた与党の右派勢力と「反共」を大義に蜜月を築き、各種の復古的政策を背後で支えてもきました。そうして教団は息を永らえ、被害は続き、ついには元首相が白昼銃殺される重大事件まで起きたのです。

つまり、旧統一教会という反社会的教団とどう対峙するかは、人権の制約というよりむしろ、歴代の政権や与党といった統治権力内に巣食った膿を摘出できるか否か、まさに権力そのもののありようと自浄能力が問われる課題なのです。

2022.10.26

超絶級の鈍感力

政治記者でない僕は、人事の背後にある永田町の力学や理屈を知りません。身も蓋もなく言えば、さして興味もないのです。ただ、発せられた政治的メッセージはあまりに強烈で直接的。果たしてこれは確信犯か、それとも超絶な鈍感力によるものなのか。

つい先日、ようやく事実上の更迭に追い込まれた経済再生担当相。旧統一教会のトップと何度も面会するなど教団との異様な蜜月が政治問題化し、しかもその説明や釈明が二転三転し、メディアなどに追及されると渋々追認を繰り返した末の、まことに無残な辞任劇ではありました。

なのに直後、更迭された〝前〟経済再生担当相が与党の「新型コロナウイルス対策本部長」に起用されたのは各紙既報の通り。任命する方もする方、受ける方も受ける方、与党支持者でさえ多くが耳を疑うような人事だったのでは。

しかし、与党総裁でもある首相は更迭の直後、官邸で記者団の取材に応じ、あらためてこう強調していたというのです。

「各閣僚が（旧統一教会との関係を）自ら点検し、説明を尽くし、未来に向けて関係を断つ、この方針はまったく変わっていない」

加えて首相自身、二転三転した前経済再生担当相の「説明」が十分ではなかったと認めつつ、自らの任命責任についてもこう断言していたのだとか。

「当然感じている。感じているから、職責をしっかり果たすことによって責任を果たしていきたい」

それでも更迭大臣を党の役職に据えた〝大胆人事〟。背後に永田町の力学や理屈が横たわっていて、それを踏まえた上での確信犯なら、これは政権としてこう宣言したも同然でしょう。旧統一教会との関係を断つつもりも、説明を尽くすつもりもないのだ、と。

逆にそんな深意もないなら、世論の趨勢を一片もすくい取れない鈍感力は超絶級ですが、結果として発せられるメッセージはさほど変わらず、こう自白したに等しいのでは。旧統一教会との関係を断つなんて無理だし、説明しろと言われてもすべてを説明することなんてできないよ、と。

はてさてそのどちらか。いずれにしても、徹底的にナメられてるのです。誰が？　もちろん僕たち全員が。そして根源的にはこんな本音が漏れ出ているようにも思われるのです。そもそも何が問題なのかよくわかんないんだよね、と。

2022.11.9

ブラックジョーク

「死刑のハンコを押し、そういう時だけニュースになる地味な役職」

そう放言した法相が更迭されました。当然ではあります。死刑制度そのものの是非をどう捉えるにせよ、国家の名の下に人命を奪う刑罰は、これ以上なく重大で最高度の権力行使であり、それを内輪の会合で軽口のネタにしたのは政治家としての根本的資質を疑う論外の愚行。

しかし一方、法相を更迭して済む問題か、とも思うのです。彼が続けて口走った「法相になってもカネは集まらず、票も入らない」という軽口と合わせ、一連の放言にはあからさまな本音と一縷《いちる》の真実も含まれていると思うからです。

検察と一体の法務省は、検察官が圧倒的権限を握る特殊な役所で、僕はかつて与党の重鎮にこんな話を聞かされたことがあります。戦後の歴代内閣を振り返ると、法相を経て首相に上りつめた者は一人もいない。しかも近年は軽量級の法相ばかりが目立つ。なぜか。まさに政治的利権が薄く、カネにも票にもならず、他の閣僚に比べて権限が限定的だからだよ、と。

では現実の法務行政に政治が取り組むべき課題はないのか。いやいや、むしろ法務行政には、検察や警察がその一翼を担う刑事司法分野を含め、課題や問題が山積しています。途切れず発生する冤罪の背後には、いわゆる人質司法や代用監獄、極度に閉鎖的な刑事収容施設の運用等々、およそ先進民主主義国では考えられないほど後進的なシステムが数々放置され、いまも横たわったまま。

同じく法務官僚が担う入管行政だって、多くの外国人が非人道的な環境下で長期収容され、まともな医療すら受けられず死亡する惨事まで続発しています。死刑制度にしても、世界を眺めれば制度廃止が圧倒的潮流になっていて、すでに140を超える国・地域が廃止、あるいは事実上廃止に舵を切り、先進民主主義国で存置しているのは日本と米国の一部州のみ。加えて日本は制度そのものが極度の密行下に隠され、いまも毎年執行に固執し、その異様さは世界的にも際立っていると僕は本コラムで何度も書いてきました。

なのに今も中央省庁で「人権擁護」を担うのが法務省というブラックジョーク。はしなくも法相の放言には、そうした現状を放置し、課題にすらしてこなかった政治の怠慢とその人権感覚、問題意識の劣悪さが、二重三重の意味で凝縮されているように思われるのです。

2022.11.16

見当識が狂う

こうして新聞などのコラムを執筆する際、当たり前のことを書くのは一種の禁忌。意外な事実とか新たな視点とか、驚きや発見を読者に届けるのは書き手の役目だから。でも、今回書くのはごく当たり前のこと。書きたいというより、書かねばならないと思うから。

昨日（11月29日）の各紙朝刊は同じ記事を1面に大きく掲げていて、本紙の見出しは〈防衛費2％　首相指示〉。戦後長く国内総生産（ＧＤＰ）比で1パーセント程度としてきた防衛費の枠を取っ払い、２０２７年度には倍増するよう首相が指示したというニュース。単純計算すれば、現在すでに世界9位水準の防衛費＝軍事費が5年後には3位水準、つまり米国、中国に次ぐ〝軍事大国〟に躍り出ることに。

ロシアのウクライナ侵攻、あるいは北朝鮮の核・ミサイル開発などを受け、世論調査でも防衛力強化を求める声は高まっているものの、果たしてそれでいいのか。

これもあらためて記すまでもないことを記せば、この国の財政状況は悪化の一途をたどり、国債の発行残高＝借金は１０００兆円超。だから持続可能な社会保障の将来像も描けず、少子高齢化に歯止めはかからず、なのに子育てや教育関連の支出は主要先進国の平均以下。

一方で防衛費は一挙に倍増させ、敵基地攻撃能力まで保有すると訴え、ではいったい財源はどうするのか。それで国の安全は保たれるのか、いや、そもそも国の安全とは何なのか。この国に暮らす人びとの生活に直結する社会保障や教育、子育てなどを不安のただ中に置きつつ、希少な財源を軍事に注ぎ込むのは、どこぞの独裁政権と本質的な意味で相似形。しかも憲法の歯止めなどを平然となぎ倒して軍事偏重に突き進めば、むしろ地域の緊張は高まって不安定化し、さらに周辺国が軍事傾倒する軍拡の罠《わな》に陥るだけではないのか。

以上を僕は至極当たり前のことと思って書いているけれど、ひょっとするともう当たり前のことではないのかも。少なくとも政治は真逆の方向に猛進し、異を唱える声はか細く響くのみ。とすれば、期せずして僕はまったく当たり前ではない、相当に風変わりなことを書いていることになり、見当識が狂うとは、こういうことなのかもしれません。でもそれは、戦後のこの国がかろうじて堅持してきた矜持でもあるはずなのですが、はて。

2022.11.30

刑務官のうめき

さる11月29日、大阪拘置所に収監中の死刑囚3人が国を相手に訴訟を起こしました。本紙は翌30日付の朝刊で小さくこう報じています。

〈絞首刑は残虐な刑罰を禁じる国際法や憲法に違反するとして、大阪拘置所に収監されている死刑囚3人が29日、国に死刑執行の差し止めや計3300万円の賠償を求める訴えを大阪地裁に起こした。代理人弁護士は「日本の死刑制度のあり方を改めて問う」と訴えている〉

人の命を奪って死刑判決を受けた者たちが、自らの命の奪われ方が残虐だと文句をつけるなど片腹痛い——おそらくはそれが一般的な受け止め方なのかもしれません。ただ、これは決してそのレベルにとどまらない、僕たち自身とこの社会のありようの根本に関わる問題でもあります。

そのことを考えるために本コラムで何度か触れてきたことを再び記せば、世界的にみると死刑という刑罰は廃止が圧倒的潮流になっていて、すでに140を超える国が死刑制度を廃止、あるいは事実上廃止し、いわゆる先進民主主義国で制度を維持しているのは日本と米国の一部州のみ。しかも絞首刑によって執行を続ける日本は、制度そのものが極度の密行下に隠されて外部から適正性がチェックできない状況などと合わせ、世界的には異様さが際立つガラパゴス状態。

そして深刻に考えるべきは、制度を肯定するにせよ否定するにせよ、死刑という刑罰もまた国家の名の下に人命を奪い去る営為であり、ほかの誰でもない、僕たち全員がその執行を国家に委ね、現場では生身の人間が携わっているという重い事実でしょう。

かつてこの問題を集中的に取材し、『絞首刑』（講談社文庫）という1冊のルポを書いた際、死刑事件の加害者や被害者遺族らを訪ね歩いた僕は、執行に携わった何人かの刑務官にも話を聞きました。そのうちの一人は、死刑囚の首に絞縄をかけた際の記憶を尋ねる僕に「根掘り葉掘り聞かないでくれ。本当は話したくないし、思い出したくもないんだ」と憤りをあらわにし、うめくようにこう漏らしたのです。「死刑といったって、所詮は人殺しだから。家族にも話したことはないし、話すこともできないんだ」

繰り返しますが、その執行を委ねているのは他の誰でもない、僕たちなのです。

2022.12.7

収容施設と人権

またも名古屋刑務所で刑務官が受刑者に暴行を重ねていたことが発覚しました。12月10日付の各紙朝刊によれば、22人の刑務官が昨年11月以降、受刑者に暴力を振るい、検察は特別公務員暴行陵虐容疑も視野に立件を検討中とか。

またも、と書いたのは、名古屋刑務所では20年前にも刑務官による凄惨《せいさん》な暴行事件が起きているからです。これを機に刑務所内の処遇のあり方が問われ、明治以来の監獄法に代わって刑事収容施設法も作られたのに、改善が進んでいない実態が露呈した形。

一方、愛知県警岡崎署では留置場に勾留中の男性の死亡事案が問題化。13日付の各紙朝刊によれば、男性は糖尿病の持病があったのに医師の診察も受けさせず、薬も与えず、捕縄などで100時間以上も身体を拘束し、こちらも特別公務員暴行陵虐の疑いがあると本紙は伝えています。

このほか各地の入管収容施設でも収容者がまともな医療すら受けられずに死亡する事案が続発していて、昨年3月にスリランカ人のウィシュマ・サンダマリさんが亡くなったのも名古屋入管の施設。

いずれも愛知県内の出来事ですが、もちろんそこが問題ではありません。むしろ問題なのは刑務所、警察の留置場、入管の収容施設とそれぞれ舞台は異なるものの、いずれも主に法務省がつかさどる収容施設で発生した重大な人権侵害事件だという点です。

このうち警察の留置場を管理するのは警察ですが、警察に拘束された容疑者は警察以外の施設に収容するのが民主主義国の常識。なのに日本では警察の留置場に放り込まれ、これは「代用監獄」と呼ばれて冤罪の温床にもなる、と国連などから度々問題視されてきたのに、法務省や警察が改善に取り組んでこなかった悪習の代表例。

そこで思い出すのは先般更迭された法相の戯言です。「法相は死刑のはんこを押した時だけニュースになる地味な役職」。とんでもない、法相を筆頭とする政治が取り組むべき課題は法務行政に山積していて、それを放置してきたから痛ましい事件が絶えないのでは。

警察や入管に捕まるのは悪いやつだから仕方ない？　いやいや、一般人の人権はもちろんですが、身柄拘束下にあるような人びとの人権がどこまで守られているかにこそ、その国の人権状況が最も先鋭的かつ象徴的に映し出されるのです。

2022.12.14

政府広報メディア

防衛費の大幅増や敵基地攻撃能力の保有については、戦後の矜持をなぎ倒すという意味でも、借金まみれの国の予算の使途という面からも、これが本当の意味でこの国と周辺地域の安定と平和に資するかという観点からも、僕はひたすら懐疑を抱くのみ。ただ、それ以前の問題として指摘しておきたいことがあります。ひどく憂鬱なテーマではありますが、決して見過ごすべきでないと考えるからです。

政府は今回の政策転換に向けて着々と既成事実を積み重ね、その一つが9月に設置した有識者会議でした。座長は駐米大使などを歴任した元外務官僚が務め、総勢10人のメンバーが4回の会合を経て次のような「報告書」を首相に手渡しています。

〈防衛力の抜本的強化のために必要な予算上の措置を講じなければならない〉〈我が国の反撃能力（引用注・敵基地攻撃能力のこと）の保有と増強が不可欠〉

なんのことはない、政府方針の背を押し、お墨付きを与える内容であり、皮肉を込めて言えば、さまざまな役所にあまたある有識者会議やら審議会やらと相似形。ただ、これほどの政策転換にお墨付きを与えたのは少々レベルが異なる上、会議メンバーにはこの国を代表する全国紙の幹部や元幹部が3人も名を連ねたのです。A紙の元主筆、N紙の元社長で現顧問、そしてY紙の現職社長。

これも皮肉交じりに言えば、メディアの幹部や記者が役所の審議会等のメンバーになるのも、この国では珍しくもない光景ではあります。ただ、時の政府はもちろん、あらゆる権力や権威から可能な限り独立し、それを監視すべきメディア、ジャーナリズムの原則を踏まえれば、政府の政策決定に関わる会議体に――まして政府方針にお墨付きを与えるような役割に名を連ねるのは、メディアやジャーナリズムの原則からの明らかな逸脱。

この3人のうち元主筆と顧問はいずれも現在は社の経営や編集の現場から離れているものの、現職トップが参加した社は一層深刻というべきでしょう。そして紙面の社説等も政府方針に完全追随。

いや、誤解なきように記しておけば、社論が右でも左でも、それ自体が問題ではないのです。ただ、社のトップが政府の政策に影響力を行使し、社論もそれに沿うなら、これはもうメディアというより政府機関、政府広報に近いのでは、と僕などは思ってしまうのですが、さて。

2022.12.21

2022年問題

過日、現首相を評して「真空総理」、または「餅飲みおじさん」のようだと地方紙のコラムに書いていたのは友人の時事芸人、プチ鹿島氏でした。「何のこだわりもない真空総理」が、ろくに咀嚼《そしゃく》もせず「何でもするすると飲み込んじゃう」からだと。

なるほど、なかなか適切な比喩ではあります。防衛費倍増、敵基地攻撃能力の保有、さらには建設国債の防衛費への充当等々、先の大戦の痛切な反省などに基づく戦後の矜持を盛大に、そして次々となぎ倒す政権は、11年前のこれも痛烈な蹉跌《さてつ》に基づく原発政策までひっくり返し、その再稼働はおろか新増設や建て替え、さらには老朽原発の運転期間延長まで決定。

その政権の現状を眺めれば、閣僚の更迭ドミノは収まらず、支持率はつるべ落としの低空飛行。でも真空の口腔に歴史的政策転換が続々吸い込まれていく不可思議な様はまさに「餅飲みおじさん」。

そういえば、かつて「凡人」「冷めたピザ」と揶揄された小渕恵三首相を「真空総理」と評したのは故・中曽根康弘元首相でした。「真空はあらゆる政策を受け入れることができる」からだと。

確かに小渕政権下の1999年は周辺事態法、国旗・国歌法、盗聴法＝通信傍受法などが次々成立し、これを「1999年問題」と評したのは作家の辺見庸氏でした。「戦後の守るべき堤防が一気に決壊した」からだと。

これにならえば、何でものみ込む2代目「真空総理」の下で戦後の矜持がまたも盛大になぎ倒された現在は、「決壊した堤防が跡形もなく崩れ去り、濁流が周囲を覆い尽くしている」に等しく、僕たちはこれを「2022年問題」と呼ぶべきかもしれません。

そうして暮れていく22年、状況はしかも99年より極度に悪化しています。金融危機に伴う不況を乗り切るのだと過去最高の国債発行に踏み切った小渕氏は「世界一の借金王」だと自嘲しましたが、当時の国債発行残高は330兆円余。これが現在は3倍超に膨張し、だから社会保障の将来像も描けず、不安と焦燥の中で少子高齢化にも歯止めがかからず、なのに防衛費に蕩《とう》尽《じん》する来年度の当初予算案は過去最大114兆円の大盤振る舞い。

新たな年が明けても「おめでとう」とはどうも言い難い、いずれ破局がやってくる嫌な予感のする年の暮れです。

2022.12.28

忘却の「劫罰」

一昨年に世を去った瀬戸内寂聴さんは、法話で幾度もこう語っていたそうです。「人は忘却という能力を授かっています。忘れることで、傷ついても蘇生できる。ところが、人は忘れてはならない大切なことも忘れてしまう。こちらは仏様が与えた劫罰《ごうばつ》です」

そう、人は忘れることができるからこそ、つらい経験や記憶を乗り越えることもできる。その最大の触媒になるのは時間、つまりは歳月の流れでしょう。年があらたまり、暦にひとつの句点を打つ古くからの営みも、同様の作用を与えてくれるもの。でも、決して忘れてはならないことだってある。

過ぎた年、最大の国際ニュースはロシアによるウクライナ侵攻であり、国内最大のそれは、元首相銃殺事件だったことに異論はないでしょう。前者はいまなお惨禍が続き、忘れられるような状況ではないものの、後者はどうか。異論や反発を遮って「国葬儀」なる追悼イベントを強行した政権は、それを「検証」すると称して昨年末に賛否両論を羅列しただけの有識者ヒアリング報告書を公表してはいます。

一方で犯行の動機とされるカルト教団をめぐっては、これも昨年末の国会で被害者救済の新法を成立させ、教団に対しては宗教法人法に基づく質問権を初行使。いずれも決して十全とはいえずとも、教団の責任追及と被害者救済はわずかに前進した形。

しかし、教団と怪しい蜜月を築き、増長させてきた政治の責任はまったくの手つかず。なぜ政治は教団と蜜月を築いたのか。その侵食深度はどれほどのものだったか。各種政策に教団が及ぼした影響は。政治の意向で当局捜査はゆがまなかったか。教団名変更に政治の力はうごめいていないか。世論に気圧されて教団の責任追及と被害者救済に渋々手をつけた政治は、自らの責は頬かぶりし、忘却を待つ算段か。

その忘却の「劫罰」に話を戻せば、劇作家の木下順二さんは生前こんな台詞を書いています。「忘却のお陰で悪というものがいつまでも生きのびるってこともあるんだ」(戯曲『神と人とのあいだ』)

これは先の大戦における責任を念頭に置いた台詞ですが、劫罰の忘却にあらがうため、新年にあらためて嚙みしめるべき警句ではあるでしょう。大戦の責を免れた為政者が政治と教団の蜜月の原点となり、その堆積が孫の為政者に凶弾を浴びせる結果になったことを思えば、なおさらに。

2023.1.4

鏡に映った顔

自分のことは自分が一番わかっているつもりでも、人は自分の顔さえ自分の目で見ることができないもの。当たり前の話ですが、それを見たければ鏡に映すか、写真や映像でも眺めるほかに術はなし。

その鏡像にも似た記事が昨年末、本紙に掲載されていました。英国のジュリア・ロングボトム駐日大使へのインタビュー記事で、見出しは「死刑制度　政治主導で廃止を」。

そこで大使はこう語っています。「英国と日本は非常に親しい友人で、多くの点で意見が一致していますが、死刑制度は意見が異なる重要な問題です」「防衛やテクノロジーといった機密性の高い分野で緊密なパートナーになるために、死刑制度は完全でオープンな情報共有の障壁になると感じます」

そしてこうも。「日本に死刑制度があると聞くと、英国人はとてもショックを受けます。日本は民主的で調和がとれていて、思いやりのある洗練された社会です。死刑制度はそのイメージに合いません」

本コラムで何度も書いてきたことを、再度しつこく記しておきます。国際的に死刑は廃止が圧倒的潮流になっていて、世界ではすでに140超の国が制度を廃止、あるいは事実上廃止し、特に欧州連合（EU）は基本権憲章で死刑廃止を明確に規定、それはEU加盟の条件にもなっていると。

そう記すと他国は他国、当方には独自の文化と考えがあり、世論も制度維持を支持しているのだ――そんな反論をしばしば受け、そのたびにふと思い出すのです。いわゆる共謀罪法、政府がいうテロ等準備罪の導入を与党が強行採決した2017年のことを。当時、政府は盛んに訴えました。国連の国際組織犯罪防止条約を締結するには共謀罪法が必須であり、でないと各国との捜査共助や犯罪人引き渡しが円滑に進められないのだと。

あれから約5年半、日本は同条約を締結したものの、犯罪人引き渡し条約を締結した国はいまも米国と韓国のみ。先進民主主義国では極端な少なさで、その大きな要因と指摘されてきたのが死刑制度とその執行への執着。

つまり、都合のいいことは政府が「国際潮流」を盾に押し切り、都合の悪いことは頬かぶり。果たしてそれでいいのか、鏡に映った顔をしげしげと眺めて我が身を見つめ直す、そんな新年になるといいのですが。

2023.1.11

外面と内面

先に欧米歴訪を終えた首相は米国滞在中、日米首脳会談などに臨んだほか、ジョンズ・ホプキンズ大学高等国際問題研究大学院で講演したとか。首相官邸サイトにはその講演録全文が掲載されていて、「日本の総理大臣の岸田文雄です」とあいさつした首相が続いてこんな台詞を発したと記録されています。

「昨年、私は安保政策で大きな決断を行いました」「国家安保戦略、国家防衛戦略及び防衛力整備計画、これら3文書の策定による、戦後の日本の安全保障政策の転換です」「日本や世界の行方に重大な影響をもたらす大変重い決断ではありましたが、私は正しい決断であったと信じています」

言うまでもなくこの「決断」が具体的に何を指すかといえば、従来は国内総生産（GDP）比1パーセント程度に抑えてきた防衛費の大幅増と敵基地攻撃能力の保有。続けて首相はこの意味をこう位置づけています。「吉田茂元総理による日米安保条約の締結、岸信介元総理による安保条約の改定、安倍晋三元総理による平和安全法制（引用注・集団的自衛権の一部行使を容認した安保関連法）の策定に続き、歴史上最も重要な決定の一つであると確信しています」

どうですかみなさん、私はこれほどの成果を引っさげてやってきたのですよ――という首相の荒い鼻息が聞こえてきそうですが、賛否はともかくとして、それが歴史的な政策転換だった事実に僕も異論はなし。

ただ……と思うのです。こんな台詞、僕たちは直接聞かされたことがあっただろうかと。国会でも、選挙時も、各種記者会見でも、これほど重大な意味を持つのだと首相自身の口から聞かされ、真摯な説明を受けた記憶があるだろうかと。

念のため、安保3文書改定直後の会見での首相発言をみても「歴史上最も重要な決定」とか「日本や世界に重大な影響をもたらす大変重い決断」といった文言はなし。それほどの決定であり決断ならば国内でもっと説明を尽くし、国会でも徹底して議論すべきなのに。

人はしばしば外面《そとづら》と内面《うちづら》が異なり、外面はいいけど実は……とか、外面は悪いけど意外にこの人は……などと語られるものの、今回の乖離は話が別。内では問題の核心をボカし、外には勇猛な決断だと自らの喧伝に勤しむ様から浮かぶのは、足元を欺いて盟主に実を貢ぐゆがんだ為政者の姿。僕にはそう思われて仕方ないのですが、さて。

2023.1.18

内弁慶

人は己の顔を己の目で直接見ることもできず、だから外部の声や鏡に映った顔を虚心に反芻《はんすう》し、時に己を見つめ直す必要がある――と僕は前々回の本欄で書きました。その際に鏡と評したのは、世界的には廃止が圧倒的潮流になっている死刑制度について駐日英国大使が語った本紙記事。制度の存置と執行に固執するこの国は、その極度の密行性を含めて世界的には相当に異様であり奇態でもあり、僕たちは鏡に映った己の顔を眺め、制度廃止を含む議論を政治課題にすべきではないか、と。

同じような意味で、これも本紙に月一度のペースで掲載されている各国特派員の寄稿特集、「私が思う日本」と題したデジタル版の企画記事を僕は愛読しています。直近だと1月16日の朝刊紙面にも載った韓国・朝鮮日報の東京支局長、成好哲《ソンホチヨル》記者の寄稿は学ぶところの多い論考でした。

とかく閉鎖的なこの国のメディア環境下、成記者は福島第1原発の現地取材を先日認めた東京電力に謝意を示しつつ、一方で日韓関係をめぐる日本政府と与党などの態度をこう指摘するのです。

〈東京の外国人記者たちは日本の閉鎖的な取材対応によって絶えず挫折を経験している。例えば韓日間で最大の懸案となっている徴用工問題の場合、韓国人特派員たちは日本政府や与党に取材したいと希望しているが、首相官邸も自民党も外務省も韓国メディア向けの記者会見や懇談を開いたことはない。日本側が徴用工問題で譲れない論理を直接説明しないため、（略）日本の立場に関する記事は少なくならざるを得ない〉

折しも韓国の政権は元徴用工問題に関する〝解決策〟を示し、韓国内ではさまざま議論が繰り広げられているものの、元徴用工の支援団体や世論の反発も強く、落着できるかは不透明。日本側が真摯な態度を示さなければ、またも暗礁に乗り上げてしまうでしょう。

ならば日本側も自らの主張を韓国の政府にもメディアにも堂々とぶつけつつ、相互の妥協点を模索し、難題を乗り越える努力を尽くすべきでは。それをしないで内にこもって勇ましい強硬論を唱え、相手に全面的な非があるかのような態度を取り続けるのは、内輪では心地よくとも、国際的な鏡を通して見ればみっともない内弁慶。そもそも外交交渉とは、一方だけ利を得て決着することなどないのですから。

2023.1.25

事件の奥底へ

全国各地で資産家らを狙った強盗、窃盗事件が相次ぎ、ついには東京都下で90歳の女性が殺害される凶行まで発生したことを受け、本紙をはじめとする各メディアの「事件報道」が久々に熱を帯びています。それも無理はない面があるのは事実でしょう。

ネットの闇サイトなどを通じて〝募集〟され、互いに面識さえない者たちが繰り返したらしき異様な犯行形態。そうした者たちへの指示は秘匿性の高いSNSや通信アプリ経由で行われ、しかも指示役とみられる者たちはそれを遠くフィリピンの地から発していたという事件空間の国際的広がり。

加えて指示役は現地の入管施設に収容されながら犯行を差配し、自ら人気漫画のキャラクター名も名乗っていたという一種の劇場性。時代が変わっても常に変わらない、それは犯罪や事件というものの特質ですが、一連の事件にもまたこの時代や社会のゆがみ、さらには情報・通信環境の激変といった要素まで凝縮され、べったりと張りついているのですから。

本紙などの報道によれば、この犯行グループはもともと特殊詐欺に手を染めていて、そうした犯行に加わった若者たちは「高額報酬」といった惹句《じゃっく》に釣られ、しかも一度犯行に加わると脅迫されて足抜けもできず、ずるずると凶悪犯罪の深みにはまってしまうケースが多いのだとか。

もとより許されざる犯罪であり、首謀者の指示役はもちろん、安易に犯行に加わった者たちも含めた事件の全容解明が待たれるものの、一方で「高額報酬」に釣られて特殊詐欺などに加わった者たちの多くは決して特異な凶悪犯ではなく、むしろどこにでもいる若者が〝捨て駒〟として使われている面もあり、背後には若年層が貧困や不安定な生活にあえぐ社会状況も横たわっているのではないか——そんなことを僕は最近、神奈川新聞の田崎基《たさきもとい》記者が〝加害者の視点〟を交えて描いた『ルポ　特殊詐欺』（ちくま新書）で教えられました。

繰り返しますが、事件や犯罪とは時代や社会のゆがみを映し出す鏡のようなもの。だから犯行形態の異様さや劇場性ばかりに目を奪われず、もっと広く深い視野と視座で事件の奥底にまで目を凝らし、病巣を摘出して提示すること。そんな「事件報道」こそが今も昔も変わらずメディアに求められる役割です。

2023.2.1

第3章　ルポ・町工場VS公安警察

横浜市都筑区に本社を置く化学機械メーカー・大川原化工機の社長ら3人が警視庁公安部に逮捕されたのは、新型コロナウイルスのパンデミックが日本でも急速に深刻化しはじめていた2020年3月11日のことである。生物兵器の製造にも転用可能な化学機械を中国に不正輸出した――そんなおどろおどろしい外為法違反容疑が3人にはかけられていた。

社長の大川原正明（当時71歳）はこの日の朝、自宅にやってきた公安部の捜査員に同行を求められ、東京・桜田門の警視庁で逮捕状を執行された。実をいうと公安部の捜査自体は1年以上前から行われていて、執拗《しつよう》で先入観に満ちた聴取を40回以上も受けていたから、逮捕を予見できなくもなかったはずだが、まさかそんなことはあるまいと大川原は楽観していた。

要するに大川原は、この国の警察や検察といった組織の〝良識〟のようなものを、心のどこかで信じていたのである。これほど無茶な捜査がいつまでも続くはずはない、いずれ警察も自らの見込み違いに気づき、われわれの訴えを理解して捜査の矛を収めるはずだ、と。

しかし逮捕され、愕然とした。それでも信頼はまだ根底からは崩れていなかった。いま大川原は当時の心境をこんなふうに振り返る。

「われわれはまったくのシロ、潔白であって、どう考えても無罪、無実ですから、きちんと調べてもらえば起訴はされないだろうと思っていました」

一方、大川原と同時に逮捕された島田順司（同67歳）は、いいようのない屈辱感に必死で耐えていた。大川原化工機に勤務して30年以上、当時は海外営業担当の役員だった島田は、自らにかけられた嫌疑とは真逆の矜持を貫いてきた自負、プライドがあったからである。

大川原化工機は会社の経営理念に〈平和で健康的な社会作りに貢献する〉と掲げている。武器商人のような営為を心底嫌う島田もこれに深く共感し、間違っても自社製品がそんな目的に転用されないよう努力を積み重ねてきた。

だから輸出規制の強化に向けた経済産業省の動きにも全面協力し、規制対象外の製品でも疑わしければ販売を控え、海外の全顧客からは「兵器転用をしない」という趣旨の宣誓書提出まで求めてきた。もちろんそのような法的義務などなかったが、〈平和への貢献〉を理念に掲げる会社と島田の、それが一貫した矜持だった。

なのになぜ、こんな目に遭わねばならないのか。警察の留置場にぶち込まれ、番号でぞんざいに呼ばれ、時には怒鳴りつけられ、妻子との面会さえ許されない。いったいなぜこれほど屈辱的な目に遭わねばならないのか。いま島田はこう言う。

「日本の警察には心底から失望しました。私も逮捕前、35回も事情聴取に協力しましたが、いくら本当のことを言ってもまったく聞く耳を持たず、言ってもいない事柄で筋書き通りの調書を作ろうとする。その内容は歪曲され、誇張され、真実を見極めるつもりなど微塵もない。果ては脅迫めいた言辞で調書に同意するよう強要してくる。正直、ここまでひどいとは思っていませんでした」

もう1人、同時に逮捕されたのが相嶋静夫(同71歳)である。当時は顧問職に退いていたが、もともとは技術者として大川原化工機の技術開発を30年以上担い、最後は常務や専務までを歴任した。いわば技術面の大黒柱として会社を支えてきた相嶋は、果たして逮捕に際して何を思ったのか——それを訊きたくても、もはや直接訊くことは叶わない。

相嶋は逮捕・起訴されて間もなく拘置所内で体調を崩し、その原因が胃ガンだと判明しても適切な治療を速やかに受けられず、2021年2月7日に世を去った。詳しくは後述するが、もはやこれは国家による殺人に等しかったのではないかと私は疑う。

そうして警視庁公安部が振りあげた捜査の結末がどうなったかもあらかじめ明かしておけば、公安部が逮捕したことを受けて東京地検は3人を起訴したものの、初公判日として東京地裁が指定した日——2021年8月3日のわずか4日前、なんと東京地検が起訴を突如取り消し、事件の幕を強引に下ろしてしまったのである。検察が一度踏み切った起訴を取り消すのは異例であり、まして初公判直前の取り消しなど異例中の異例。警視庁公安部と東京地検は公判前に〝全面敗北〟を宣言し、一方的に白旗をあげてすごすごと撤収してしまったに等しい。

それでも大川原と島田、相嶋、そして大川原化工機が被った傷は甚大だった。経営の中枢である大川原と島田は実に330日以上も勾留され、相嶋は最期まで保釈さえ許されずに亡くなった。そこには逮捕・起訴された者が容疑を否認すると延々と勾留が続く「人質司法」の悪弊も明らかにみてとれる。

率直な感想を記せば、時に極度な政治性を帯びる公安警察の内実を以前から取材し、その後は数々の冤罪事件も取材してこの国の刑事司法の悪弊を目の当たりにしてきた私自身、その両者の歪みがこれほど濃密に凝縮された事件をにわかには思い浮かべることができない。同時にその政治性の背後には、いわゆる「一強」政権の存在や「経済安保」論など昨今の政治的動向、そして公安警察の組織的な打算の影も横たわっている。以下、そのひとつひとつを丁寧にひもといていきたい。

大川原化工機は1980年、静岡に本社がある乾燥機器メーカー・大川原製作所の子会社として創立された。もともとは静岡名産の茶葉の乾燥などを手がけていた同製作所が事業を拡大し、さまざまな乾燥技術をさらに発展、応用させられないかと立ちあげたのが大川原化工機だった。

当初は現在の社長・大川原の父が経営を担ったが、大川原がその後を引き継ぎ、設立から数年後には相嶋や島田も他社から移籍して技術開発や営業部門などに加わった。特に東京工業大学とその大学院で応用化学を学んだ相嶋の参画は、独自の技術開発が生命線となるベンチャーにとって頼もしかったろう。

いまは亡き相嶋に代わって長男と次男は私の取材にこう語ってくれた。

「先代の社長さんが非常に夢のある人で、さまざまな人材を集めたようです。そうして当時、何人か技術者が入社し、その1人が父でした」(次男)

「もともと父は大企業よりもベンチャー志向で、自分のアイデアがダイレクトに製品になるような、やりたいことをやらせてくれる会社を望んだようです。だから収入は二の次で、自分の能力を社会の役に立てたいという想いも強かった。私たちにもよく『人の役に立つ仕事をしろよ』と言っていましたから」(長男)

優秀で使命感にも燃えた技術者らを得た大川原化工機は以後、地味ながらも着実な発展を遂げていく。なかでも液体や液体・個体の混合物を噴霧し、熱風をあてて粉末を得る噴霧乾燥機=スプレードライヤーは主力事業に成長し、インスタント食品から健康食品、さらには医薬品やIT機器製造などに必要なセラミック加工に至るまで、その製品は広く販路を拡大した。

業績がそれを示す。2020年時点における噴霧乾燥機分野に占める大川原化工機の国内シェアは実に70パーセント。年間売上高は約30億円、従業員数は約90人と決して多くはないが、たとえていうならテレビドラマ『下町ロケット』が描いた「佃製作所」とでも評するべきだろうか。いずれにせよ卓抜した唯一無二の技術力でこの国の産業を底支えしてきた中小企業群の、いわゆる町工場群の、まさに典型的存在といっていいであろう。

そんな大川原化工機に警視庁公安部の捜査が忍びよってきたのは２０１７年の春ごろだったようである。公安部関係者によると、このころ経産省の外郭団体である一般財団法人・安全保障貿易情報センター（ＣＩＳＴＥＣ）が開いたセミナーに公安部外事１課の捜査員が参加し、噴霧乾燥機の輸出管理状況に強い問題意識を抱いたのが発端だったらしい。

公安部の外事１課とはロシアや東欧圏絡みの防諜や情報収集に加え、戦略物資の不正輸出などにかかわる事件捜査も担当している。だからさまざまな情報収集にあたるなかで問題意識を抱くこと自体、治安機関としては珍しくもなく、不思議でもない。

だが、ここからがいかにも公安警察らしいというべきか、ひどく強引で先入観に満ちた見込み捜査へと突き進み、背後にはこれも公安部らしい極度の政治性と組織の薄暗い打算もちらついている。

公安部が大川原化工機に対する最初の家宅捜索を行ったのは２０１８年の10月３日である。普段は平穏な社内は突然の捜索への衝撃と恐怖で凍りついたが、なだれ込んできた捜査員たちは机やロッカーを次々と開け、業務用のパソコンや営業などに必要な書類、さらには社長の大川原らの自宅から個人用パソコンや手帳、携帯電話に至るまでをのきなみ押収していった。間もなくはじまった事情聴取も長期にわたり、そして執拗を極めた。この年の12月から逮捕まで1年以上にわたった聴取の回数は、前述したように大川原が40回以上、島田は35回、そして相嶋は18回。他の現場技術者や従業員らにも広範な聴取が行われ、その延べ回数は実に260回を超えている。

横浜が職場の大川原らにとって、そのたびに都内の警察署まで呼び出され、短くても4時間、長いと6時間にも及ぶ聴取に臨むのは、肉体的にも精神的にも、そして業務との関係上も強烈な負担だったが、きちんと説明すればわかってくれるという想いで応じつづけた。実際、必死に説明もした。公安部が問題視しているのは2016年6月に大川原化工機が中国にあるドイツ系化学メーカーの子会社に向けて輸出した噴霧乾燥機——製品名「RL‐5」だったが、しかしこの製品は輸出にあたって経産省の許可が必要な機能を有してなどいないのだ、と。だから不正輸出ではないのだ、と——。

やや専門的な話になるが、噴霧乾燥機の輸出をめぐる規制は、国際的な規制強化の流れを受けて日本でも2013年10月に強化され、その省令改正などに際しては大川原化工機も経産省のヒアリングに応じ、全面的に協力していた。海外営業担当役員だった島田が振り返る。

「われわれとしても、当社の製品が兵器製造に転用されることなどあってはならないと考えていましたから、規制強化には大賛成の立場でした。ですから私が経産省との窓口になり、技術面では相嶋さんの助けも借り、もちろん平和利用の機械までは規制をかけないでくださいとお願いしつつ、同時に兵器転用はなんとしても抑えたいと。そうして経産省からはいろいろ説明を求められ、規制が強化される2013年まで全面協力しました」

つまり噴霧乾燥機のリーディングカンパニーとして規制強化に協力した大川原化工機は、その経緯も具体的な規制内容も十分に知悉していた。

さらに専門的な話にまで踏み込めば、新規制下で噴霧乾燥機の輸出に経産省の許可が必要となる要件は3つ。まずは①水分蒸発量。これが1時間あたり0・4キログラム以上、400キログラム以下のもの。次が②機器によって得られる平均粒子径。これが10マイクロメートル以下の製品を製造することが可能なもの、または噴霧乾燥機の最小の部分品の変更で10マイクロメートル以下の製品を製造することが可能なもの。そして最後が③定置の状態で内部の滅菌・殺菌ができるもの――である。

公安部が問題視した噴霧乾燥機「RL-5」は、このうち①と②の性能は有しているものの、③についてはその能力を備えておらず、したがって規制対象には該当しないと大川原たちは確信していた。続けて島田が語る。

「①と②に該当しても、③に該当しなければ規制対象ではありません。あの機械は定置で滅菌・殺菌などできませんから」

だが、公安部はこれとは異なる理屈を唱えた。たとえばヒーターを空焚きして装置内部の温度を上昇させれば、一部の菌を殺すことは可能ではないか、というのである。その理屈も捜査当初から徐々に変遷していくのだが、今度は大川原が苦笑してこんなふうに断言する。

「乾燥機だから温風や熱風を入れれば（殺菌が）できるだろう、というんです。それで菌が少しでも死ねば殺菌だから、これは該当するんだと。いやいや、そんなものは屁理屈であって、省令が定めているのは違いますよ。感染症を起こすような菌を滅菌できる、完全に殺せるようなもの。私や相嶋は医薬品業界ともおつきあいがありますからね」

再び島田が口を開く。

「社長や相嶋さんのように専門技術的な知識を持っていればわかりますが、『定置で滅菌・殺菌ができるもの』と言われても普通はわかりませんからね。私だって警察から『100度の熱風を当てれば菌は死ぬと思うだろ』と何度も問い詰められ、『はい、死ぬと思います』と答えてしまったことがあります。しかも警察がさまざまなテストまで実施したんだ、と言われれば、『たしかにそうか』と思ってしまう。その調書の作り方がまた恣意的で、『不正に』とか『故意に』とか『わかっていながら』などと書いて、いくら削除してくれ、直してくれと言っても聞いてくれない」

公安部関係者らによれば、技術者ではない島田のこうした反応を受けて公安部は〝落ちた〟と捉え、捜査はさらに加速度を増すことになったらしいのだが、たしかに島田が語るように、専門的知識を持たなければ公安部側の理屈もひとつの理屈ではあって、双方の主張は水掛け論に思われてしまわなくもない。

しかし、最終的には東京地検がすでに起訴を取り消して〝全面敗北〟を宣言しているのだから、いまとなってみれば大川原や相嶋の訴えが完全に正しかったことは明白といっていい。この分野の技術を極めてきた町工場のプロフェッショナルたちと、いかに公安部といえども当該技術の素人集団では、いくら躍起になって屁理屈をこじつけようとしても、そもそも勝負にすらならなかったのである。

なのに公安部の無茶な捜査は止まらず、前述したように大川原と島田、相嶋の3人は2020年3月に逮捕された。さらに同年5月には、別のタイプの噴霧乾燥機——製品名「L-8i」も韓国に不正輸出したとして3人は外為法違反容疑で再逮捕されている。

これに対し大川原化工機側は、万が一にも自分たちに落ち度があったら取り返しがつかないと考え、念には念を入れて公安部が問題視した2製品——「RL-5」と「L-8i」の輸出先リストまで自主的に提出した。そのリストによれば、経産省の規制強化以後、同じ製品は世界各国に40台以上販売され、問題とされた2台以外にも中国や韓国向けに輸出されたケースがあったという。

しかし、なぜかそれらを公安部が問題視することはなかった。誰が考えても実に面妖《めんよう》なことだが、これはいったいなぜなのか。大川原に尋ねると、またも苦笑してこう吐き捨てるだけだった。

「私たちにはわかりませんよ、すべては向こうの勝手ですからね」

結局のところ公安部の捜査は、なにからなにまでが矛盾だらけだった。それでも東京地検は2度の逮捕案件のいずれをも起訴し、大川原、相嶋、島田の3人は「被疑者」から「被告人」とされたのである。


前述したように、これまで数々の冤罪事件を取材してきた私自身、この国の刑事司法にはあまりにも多くの悪弊がへばりつき、それが歪んだ捜査や冤罪の温床になってきたことを痛感してきた。具体例を挙げればキリがない。

たとえば孤独な密室で長時間、延々と続けられる苛烈な取り調べ。あるいは警察に逮捕されると、その警察が管理する留置場にぶち込まれてしまう代用監獄。ほかにも検察や警察が公金と公権力を行使してかき集めた証拠を独占し、被疑者・被告人に有利な証拠があっても隠されてしまう不公正。さらには検察の主張に追随してばかりの裁判所――。

いずれも先進民主主義国ではおよそ考え難い悪弊ばかりだが、そのなかでもいわゆる「人質司法」は近年、さまざまな形で問題点が指摘されるようになった。逮捕されて容疑内容を否認すると起訴後もなかなか保釈を受けられず、場合によっては何ヶ月も勾留が続き、時に捜査側は保釈をエサにちらつかせて「自白」を迫る。一方の被疑者・被告人は長期の勾留に耐えかね、一刻も早く保釈を受けたい一心で身に覚えのない「自白」に追い込まれてしまう。まさに「人質司法」。その悪弊は大川原と相嶋、島田の3人にも襲いかかった。

3人の主任弁護人を務めたのは、和田倉門法律事務所の弁護士・高田剛である。大川原化工機とは以前から仕事上のつきあいがあり、公安部の家宅捜索が入った直後から弁護人を務めることになったのだが、会社法などが専門で企業法務を長く手がけてきた高田には刑事弁護の経験が少なく、だから刑事事件に精通した弁護士もチームに加えて万全の体制をとった。

もちろん、高田も弁護士として「人質司法」の悪弊を知ってはいた。ただ、現実にそれと直面させられてさすがに啞然としたという。高田が振り返る。

「この事件を通じていろいろ勉強させてもらいましたが、正直、ここまでひどいとは思っていなかったので驚きました。否認すれば1ヶ月か2ヶ月は勾留されるかもしれないと考え、逮捕直後には大川原社長や相嶋さん、島田さんにも伝えましたが、まさかここまで勾留が長くなってしまうとは……」

現実に大川原ら3人の保釈請求は、幾度も幾度もはねつけられた。

弁護団が1度目の保釈請求をしたのは最初の起訴後の2020年4月6日である。しかし検察から「罪証隠滅の恐れあり」とする反対意見が出され、東京地裁は請求を棄却した。6月18日には2度目の保釈請求をしたが、これも検察が反対して地裁が棄却。そうして計5度も保釈請求と棄却が繰り返され、ようやく6度目の請求で大川原と島田の保釈が認められたのは年が明けた2021年2月5日のことだった。

つまり大川原らは逮捕以来、約11ヶ月＝330日以上にもわたる勾留生活を強いられたことになる。しかも全面的な接見禁止処分が付された時期も長く、その間は妻子とすら面会できない状態に置かれ続けた。

私自身、幾人もの冤罪被害者に話を聞いてきたが、これほど非人道的な扱いを受けた被疑者・被告人は精神的に動揺し、疲弊し、ついには追いつめられ、それならば検察、警察の意に沿う「自白」をしてとりあえず保釈を得よう——といった心理状態にしばしば陥ってしまう。検察や警察はわかってくれなくとも、裁判で真実を訴えれば裁判官はわかってくれるのではないか——そう考えて「自白」調書に同意した、と打ち明ける冤罪被害者の話も数々聞いた。

しかし、その願いは大抵の場合、泡と消える。司法権の砦である裁判が検察に追随し、検察が起訴した際の有罪率が99パーセント超——といった刑事司法の現実の前に、あっけなく。

大川原らもまた、そうした誘惑の影を感じた。いや、取り調べの捜査員から誘惑を露骨にほのめかされたという。大川原が振り返る。

「取り調べの際に（捜査員から）言われましたよ。弁護士費用を考えれば、罰金を払ったって1000万か2000万円ですよって。しかも（公判で争えば）時間がかかりますよって。だったらそれも（容疑を認めるのも）ひとつの方向じゃないですかって。そういう話が、向こうからくるんです」

たしかに今回のケースでは、仮に有罪でも執行猶予がつく可能性は高く、ならば早期に事態を収拾させて経営に復帰した方が得策だ、という打算も成立しうる。だが、大川原らは断固として否認と黙秘を貫き通した。その精神的強靱さの源泉はどこにあったのか。続けて大川原に尋ねると、それまで温厚だった表情を一気にこわばらせ、強い口調でこう訴えた。

「いいですか。仮にこれが大企業であるなら、（問題とされた）一部門を切り捨てて済ませることができるかもしれません。あるいは、部門の名前を変えたりしてごまかせてしまうかもしれない。しかし、われわれ中小企業は違う。身に覚えのない罪状を認めた途端、会社も社員も全員が悪者になってしまうんです。そして会社はなくなってしまう、潰れてしまうでしょう。そんなことを絶対にできないし、したくないと思いました」

これも大企業とはまったく異なる中小企業の厳しい現実ではあるのだろうが、逆に言うならそこには、中小企業だからこそ持つ高い誇りと気骨のようなものも私には感じられた。

さて、これは余談に属することなのかもしれないが、しかしとても大切なことだと思うから記しておきたい。

私の取材に対して社長の大川原は、危機に直面した会社の内情をかなり赤裸々に明かしてくれた。その証言によれば、逮捕直後から銀行の融資などは完全にストップし、部品の納入元や取引先との関係も大幅に制約され、社内は大混乱に陥った。

しかも経営陣を失った会社の苦境は想像に難くない。それでも従業員らが歯を食いしばって事業を継続し、なんとか危機を乗り越えたものの、30億円以上あった年間売上は20億円ほどにまで落ち込んだ。コロナ禍の影響もそこには含まれているが、事件のダメージも当然大きく、銀行や取引先などとの関係はいまもなお正常化に至っていない。

なにより、3人を懸命に支えてくれた精鋭の弁護団に支払う費用も相当な額にのぼった。最終的には東京地検が起訴を取り消し、延々と公判を闘わずには済んだから、大川原らにとっては「最悪のなかのベストシナリオ」で決着させられたが、それでも家宅捜索段階から2年以上も対応にあたってくれた弁護団への支払総額は数千万円にのぼったという。

これがもし公判で最高裁まで闘い続けることになっていれば、ひょっとすると億単位の費用がかかったのではないか、と大川原は明かす。「しかもワーストシナリオの『有罪』なら、罰金まで科せられてしまいますからね」と。

そう考えれば、いかに中小企業とはいえ、堅実な経営を積み重ねてそれなりの蓄積のあった大川原化工機だから闘えたのであって、もっと弱い立場の者たちだったら果たしてどうだったのだろうか。「闘えなかったでしょうね」。大川原は赤裸々にそう吐露した。

それがこの国の刑事司法の現実であり、さらに語弊をおそれずにいうなら、最終的には起訴取り消しという「最悪のなかのベストシナリオ」で生還できた大川原や島田はまだ幸運だったのかもしれない。同時に逮捕された相嶋は、生きて戻ってくることさえできなかったのだから。

技術者として大川原化工機を30年以上にわたって支えてきた相嶋は、ナンバー2の専務を最後に一線を退き、2018年からは静岡の富士宮市に移り住んでいた。この約10年前、大川原化工機は富士宮に技術研究のための施設、粉体技術研究所を新たに立ちあげていて、この創設にも携わった相嶋は富士宮に自宅を建てて引っ越し、顧問の立場で後進の育成などにあたっていたのである。

富士宮に構えた新居からは、雄大な富士山が一望できた。職場に近い横浜に長く自宅があった相嶋は富士山を眺めて暮らすのが夢だったらしく、学生時代から交際していたという妻と2人、富士宮では家庭菜園も耕し、のんびりとした生活を営んでいた。相嶋にとってそれは、愛妻と悠々自適で過ごす老後生活のはじまりのはずだった。

しかし、公安部による逮捕ですべてが暗転した。大川原や島田と同様、当初は気丈に容疑を否認、黙秘していた相嶋の体調に明らかな異変が生じたのは逮捕から約半年後の9月22日。それ以前から胃の不調などを感じていたようだが、このころになると極度の貧血で身体がふらつき、便はどす黒く、同25日には拘置所内の診療所で輸血を受けねばならないほどだった。しかし、輸血しても症状は改善せず、10月1日には内視鏡検査を受けた。

父の異変を弁護士から伝えられた長男は驚愕し、早急に精密検査や治療を受けさせたいと懸命に動きはじめた。もちろん高田ら弁護団も迅速に対応し、相嶋については「緊急に治療の必要がある」とあらためて保釈を請求した。しかし、ここでも検察は「罪証隠滅の恐れあり」と抵抗し、地裁も請求を棄却してしまったのである。

一方、拘置所で受けた内視鏡検査の結果は約1週間後の10月7日、相嶋本人に伝えられている。その病状は深刻だった。「胃の幽門部に悪性腫瘍」――。

この前後、相嶋も治療を嘆願する手紙を拘置所長に何度か出していたらしい。だが拘置所の対応は鈍く、もはや一刻の猶予もないと判断した弁護団は勾留の一時執行停止を裁判所に申し立て、かろうじてそれが認められると拘置所近くの病院に相嶋を連れていった。これが体調の明白な悪化から1ヶ月近くも経った10月16日。病院に同行した長男が振り返る。

「拘置所の医師の紹介状を持っていったんですが、『ここでは検査ができません』と言われてしまいました。ただ、患部からの出血のためか貧血がかなりひどく、その病院でも『紹介状を見る限り、かなり進行したガンのようですね』と言うんです。だから『そこまでわかっているならすぐ治療してください』と頼みこんだんですが、『とにかく今日はダメだ』『事前に連絡をもらわないと』の一点張り。ならばせめて診断書だけでも出してくれと食い下がって、ようやく『進行胃ガン』『早急に精密検査が必要』といった内容の診断書を書いてもらいました」

おそらくは相嶋が刑事被告人だったから病院も対応に二の足を踏んだのだろう。それでも何とか得た診断書を示し、弁護団は相嶋の保釈を再請求した。

しかし、驚くべきことにまたも検察が抵抗し、請求は退けられたのである。業を煮やした弁護団は2週間の勾留執行停止を申し立て、長男も懸命に受け入れ可能な病院を自力で探し、ようやく見つけた病院に父・相嶋を搬送できたのは11月6日。体調の異変からすでに1ヶ月半も経過してしまっていた。長男が悔しげに言う。

「そのとき父はもうげっそりと痩せ細り、顔面は真っ白で血の気がなく、体重は10キロ以上も落ちていました。だからようやく診てもらった医師から『これでは手術できない』と言われてしまって……。もっと早ければすぐに手術できたのかもしれませんが、極度に体力が衰弱しているから当面は抗ガン剤の治療も無理だ、というんです。別の医師からは『なんでこんなになるまで放っておいたんだ』と言われて、でも詳しい事情を話すこともできませんから、『父は根っからの病院嫌いなもので』とはぐらかすしかなくて……。あの医師の言葉、いまも耳に残って忘れられません」

相嶋に治療を受けさせなかったのは本人でも家族でもなかったというのに、医師の苦言にきちんと説明も反論もできなかった長男の悔しさはいかばかりだったか。

もうひとつ、これも大事なことだから記しておくが、苦労して自力で見つけた病院に父を搬送する際も、相嶋の家族は信じがたい苦労を強いられている。衰弱しきった父の体調を考慮し、病院近くのホテルに前泊して翌朝の診察に臨ませようとしたのだが、勾留執行停止の期間中に認められた滞在先は「自宅」と「病院」のみ。

前述したように、当時の相嶋の自宅は富士宮である。ようやく見つけた病院は都心近くにあって、富士宮までは高速を車で飛ばしても往復3時間以上は優にかかってしまう。なんとかならないかと訴えたがどうにもならず、長男は仕事を休んで東京拘置所の父をいったん富士宮の自宅に連れ帰り、翌日早朝に再び富士宮を発って病院まで送り届けたという。

いったいなんという非合理、なんという理不尽か。あくまでも無罪推定下におかれているはずの被告人に、しかも体調が極度に悪化した重病人に、これほどばかげた仕打ちを平然と加える非道。あらためて指摘するまでもなく、本来なら受け入れ可能な病院を確保して適切な治療を受けさせるのは拘置施設側の責務だというのに、これほどの理不尽、これほどの非道が堂々とまかりとおっているのもまた、この国の刑事司法の現実なのである。

その後の相嶋は、家族や弁護団の懸命の努力も報われず、2021年2月7日に息を引き取った。享年72。さすがに再勾留されることはなかったものの、引き続き弁護団が請求しつづけた保釈は最後まで許されず、相嶋は「勾留の執行が一時停止された刑事被告人」のまま逝ったことになる。長男が再び悔しさをにじませて言う。

「結果論として父のガンは悪性度が高かったので、亡くなるという結果自体は変わらなかったかもしれません。でも、悔いは消えない。もし捕まっていなければ、健康診断で早期に見つかったかもしれない。母や私たち家族が異変に気づいたかもしれない。そうして早くに治療を受けていれば、まったく別の結果になったかもしれない。しかも父は拘置所でガンだと告げられ、家族にもそれを一切相談できず、泣きごとさえ言えず、1人で受けとめるしかなかったんです。貧血でふらふらになってもまともな治療すら受けられず、衰弱しきるまで2ヶ月近くも放っておかれた。そのことへの悔いと怒りは絶対に消えません」

さらにこう言って深く溜息をついた。

「私はこの国が好きですし、これまで国を信頼もしていました。(警察や検察は) 事件解決のために動いているんだろうって。でも、率直にいってここまでひどいとは思いませんでした。ここまで人権が守られない国だとは思ってもいなかった。もし僕たちが必死に動かなかったら、父は最後まで放っておかれ、入管施設で亡くなったスリランカ人女性と同じことになっていたのではないでしょうか」

長男とともに私の取材に応じた次男も同じ想いだった。

「疑わしいことがあれば、きちんと調べればいいと私はいまでも思っています。できるだけ人が苦しまないよう配慮し、きちんと調べた結果として白黒つけるなら、文句などありません。でも今回、(警察と検察は) 無理矢理に罪をつくろうとした。人を苦しませて自白させ、罪をつくろうとしたんです。これはいったい何なんですか!」

相嶋の家族は、いまなお悲嘆のただなかにある。富士山を望む自宅には妻が1人残され、夫の逮捕だけでも十分衝撃だったのに、適切な治療すら受けられぬまま亡くなったことに打ちひしがれ、精神的にも塞ぎこんで10キロ以上もやせ細ってしまったという。

長男と次男によれば、その妻が一度、錯乱状態で訴えたことがあった。相嶋の体調悪化が伝えられ、なのに治療を受けられない状況が続いていたころのこと。最愛の夫がいったいどうなってしまうのか、おそらくはいてもたってもいられなかったのだろう、妻は必死の形相でこう訴えるようになったという。

「命の方が大事なんだから、なんでもいいから検察の言う通りに供述して！」「私がそれを弁護士に伝えて、夫にも伝えてもらいます！」

嘘でもなんでもいいから「自白」し、一刻も早く保釈を受け、病院で適切な治療を受けさせて——それは夫の身を案じる妻としての精一杯の叫びだったろう。取材の最後、再び悔しそうに次男が漏らした。

「母はまさに向こう（警察・検察）の思惑にはまりかけてしまったんです。いわゆる人質司法の作戦通りに、なりかけてしまったんですよ」

ここまで記してきたように、事件にはこの国の刑事司法にへばりついた悪弊の数々が凝縮されていて、警視庁公安部による無茶で無謀な見込み捜査がその引き金を引いた。だが、そもそも公安部はいったいなぜ、これほど乱暴で強引で、まるで砂上楼閣のごとき捜査を繰り広げたのだろうか。公安警察組織をかなり以前から取材してきた私には、いくつかの内在的、そして外在的な理由を推測することができる。

まずは歴史を簡単に概観すれば、戦後日本の公安警察は発足当初から「反共」、あるいは「防共」をその最大のレーゾンデートルとして組織を肥大化させつづけてきた。戦後まもない時期には血のメーデー事件などに代表される公安事件が頻発し、以後も学生運動の高揚や新左翼諸党派などによるゲリラ、内ゲバ、ハイジャック、爆弾事件なども多数発生し、そうした勢力の監視や取り締まりを名目として肥大化した公安警察は、警察の一部門でありながら極度に中央集権的で国家警察的な色彩も強められてきた。

そうして警察内部でも公安部門を担う者たちこそが中枢でありエリートであると意識され、「泥棒の1人や2人を捕まえなくても国は滅びないが、共産主義がはびこれば国が滅びる」といった理屈が公然と口にされるような時代が長くつづく。

しかし、1990年代に入ると潮目が変わる。旧ソ連や東欧の共産主義諸国が次々と倒れ、戦後世界を規定してきた冷戦体制が終焉を迎え、日本国内でも徐々に新左翼諸党派などが衰退した。加えて90年代にはオウム真理教による戦後最大級の組織犯罪も発生し、なのにその兆候を事前に察知もできず、委ねられた捜査で無惨な醜態を繰り返したことも公安警察には強烈な逆風となった。

煎じ詰めれば、「反共」「防共」といった公安警察のレーゾンデートル自体が根底から揺らいだのである。実際に以後、公安警察の組織態勢や人員は戦後初めて漸減傾向をたどり、警察組織内部での権勢もかつてより明らかに衰えた。

とはいえ、公安警察も所詮は官僚組織である。一度手にした人員やカネ、権限を放したくはなく、新たなレーゾンデートルを打ちたてねばならない。その最初の〝追い風〟となったのが2001年に発生した米中枢同時テロ——いわゆる9・11事件であった。当時のブッシュ・ジュニア米政権が「テロとの戦い」を呼号してアフガニスタンやイラクに相次ぎ侵攻し、日本国内でもイスラムテロ対策が声高に叫ばれたことを梃子として2002年、警視庁公安部には「国際テロ対策」担当として外事3課が置かれている。従来の外事1課、同2課と並ぶ新部門であり、公安部に新たな課が増設されるのは実に34年ぶりという出来事であった。

その外事3課は都内に居住するムスリムを追いかけ回すといった従来型の情報収集に躍起となり、挙句の果てにはその内部資料をネット上に大量流出させる前代未聞の不祥事を間もなく引き起こすが、本題から外れるからここでは詳述はしない。それよりも注目すべきは公安警察部門を中心とする警察組織がこの後、従来より一層露骨に政治権力中枢との関係を密接にしていった点である。

それが典型的に現れたのは2012年に発足した第2次安倍政権であろう。8年にも及んだその執権中、官僚トップとして各省庁を睥睨《へいげい》する事務担当の官房副長官には、警察官僚出身の杉田和博が終始起用されつづけた。その杉田はかつて警察庁で警備・公安部門を統括する警備局長を務め、官邸では内閣情報調査室を統べる内閣情報官も歴任し、幹部官僚人事を一元管理する内閣人事局が2014年5月に創設されるとそのトップにも就いている。

また、これも安倍政権下で新設された国家安全保障局（NSS）の局長にも警察官僚出身の北村滋が起用された。北村もまた警察内で警備・公安部門の要職を歴任し、内閣情報官を務めた人物であり、NSSは官邸で外交・防衛政策の基本方針を企画立案する役目などを担う。

つまり安倍政権下では各省庁の総合調整から幹部官僚人事、そして外交から安全保障分野に至るまでの要の役割を警察官僚出身者が——それも公安警察出身者が牛耳っていたことになる。本来は一定の距離を保つべき政治と警察がこれほど密接につながり合い、露骨に一体化したのは戦後例がない異常事態であった。

その政権下で特定秘密保護法や共謀罪法といった治安法が続々と成立したのはもちろん偶然ではない。要するに一時は斜陽の危機に瀕した公安警察は幹部が政権中枢に突き刺さって反攻に転じ、かねてから渇望していた数々の武器を手に入れることにも成功したのである。

一方で国際的な状況を俯瞰すれば、今後の世界を長く規定するだろう米中の覇権争いは激化し、これまた中国を念頭に置いて米国が旗を振る「経済安保」論が日本でも声高に叫ばれ、日韓関係は悪化の一途を辿り、核・ミサイル開発に突き進む北朝鮮をめぐる緊張はあらためて記すまでもない。

これらの情勢を梃子として、官邸や公安警察の内部ではさらに新たな組織が産声をあげている。2020年4月には、北村滋率いる官邸のNSS＝国家安全保障局に「経済安保の司令塔」として「経済班」が置かれた。警視庁公安部では2021年4月、またも外事部門が再編・拡充され、それまで中国や北朝鮮がらみの防諜や事件捜査を担当してきた外事2課が中国担当の外事2課と北朝鮮担当の外事3課に分けられ、それぞれ独立した。「国際テロ対策」を担う外事3課は外事4課に横滑りしているから、政権と警察官僚の蜜月、そして国際情勢の風などを受けて公安警察内における外事部門の拡大は著しく進んだことになる。

繰り返しになるが、公安警察とは元来極めて政治的な機関であり、その本質は一種の政治警察である。また、公安警察もまた官僚組織だから、政治的背景もあって増強された部門の存在感を内外に誇示する必要と欲望にも駆られる。

つまりは米中の覇権争いや「経済安保」、あるいは日韓関係の悪化や「一強」政権と警察官僚の蜜月、そして公安警察が新たなレーゾンデートルとして大幅拡充に突き進む外事部門の存在アピール――それらが交錯した先に戦略物資輸出に警鐘を鳴らしたい思惑なども入り混じり、その格好のターゲットとして噴霧乾燥機＝スプレードライヤーに狙いが定められ、リーディングカンパニーたる大川原化工機が血祭りにあげられたのではないか。

大川原らの主任弁護人を務めた高田剛はいまこう語る。

「この事件を長く担当し、当初はわからなかった情報がさまざまなところから入ってくるようになりました。そのすべてをお話しすることはできませんが、まさに公安部の組織的な都合は極めて大きく影響していると思います」

匿名を条件として私の取材に応じた公安部の内情に詳しい関係者もこんなふうに明かした。

「大川原化工機への捜査に関しては、拡充された外事部門の存在意義をアピールする思惑が明らかに大きかった。それに何と言っても『経済安保』です。あまり知られていませんが、そうした動きを受けて外為法は2017年に改正され、無許可輸出などに関する罰金の上限が大幅に引き上げられていて、公安部は大川原化工機の事件にこれを初適用しようと狙っていました。背景にはNSS（国家安全保障局）に経済班が新設されたことも横たわっていて、それに合わせて公安部は大川原化工機の強制捜査に乗り出した。多少無茶でも叩けば落ちるだろうと目論んで捜査に突き進み、外事部門の存在感をアピールすると同時に、中国などへの戦略物資輸出に警鐘を鳴らす狙いもあったのでしょう」

この関係者によれば、公安部ではいまも捜査に違法な点があったわけでもないと幹部らがうそぶき、キャリア官僚が務める外事1課長、あるいは公安部長らを含めて誰一人として処分されず、責任を問われる気配すら皆無だという。

「むしろ検事から起訴取り消しの連絡を突然受け、いったいどういうことかと幹部は憤っているくらいです。経産省が日和《ひよ》ったせいでこんなことになった、という恨み節すら漏れているほどで……」（同関係者）

この証言には若干の解説が必要かもしれない。

大川原化工機への捜査に突き進んだ公安部は、当然のことながら戦略物資の輸出管理を担う経産省とも捜査段階で折衝を重ねた。そして別の関係者らによれば、経産省側は当初、今回の件は不正輸出に当たらない、という見解を示したらしい。ところが公安部側の度重なる説得——というよりも圧力を受けて経産省が態度を変え、捜査を黙認、追認せざるをえなくなったのではないか、と関係者らは口々に語る。大川原らの主任弁護人の高田もこう明かす。

「実をいうと警視庁公安部は、捜査過程で経産省側と交わした折衝内容をメモとして作成し、それは公安部のコンピューターにも保存されていたんです。私たちはその存在を確認したので、公判前整理手続きのなかでメモを開示するよう検察側に求めました。ところが検察は『経産省の同意がないと開示できない』と言い、経産省側も『全部開示はダメだ』という意向を示してきました。これに対して私たちは『機密事項の部分は黒塗りでも構わないから開示してくれ』と再度求め、裁判長にも協力をしてもらい、ようやく開示することを約束させたところだったんです」


ところが、一部黒塗りでも開示すると約束されていたまさにその期限の日、高田のもとには東京地検から前述の連絡が届いた。「起訴を取り消す」と。つまりこれが初公判に指定されていた2021年8月3日の4日前、7月30日の出来事だった。続けて高田の話。

「ここからは推測になりますが、公安部との折衝メモの開示に経産省が断固として反対し、その他にも不利な事情があったものだから、これはもはや起訴を取り消すしかないという状況に検察が追い込まれてしまったのではないでしょうか」

とすれば公安部と経産省の折衝メモには、当初は経産省が公安部側の判断に異を唱え、しかし公安部側に押し切られて渋々追認していく様子が記録されていたのではなかったか。実際、経産省は今回の件を公式に問題視したことはなく、行政上の制裁はおろか刑事告発すらしていないのだから。

「ええ、私もそう思っています」

高田もそう言って頷いた。

最後にもう一点、重要なことを付記しておかねばならない。いかに警察が無謀な捜査に突き進んでも、本来は公訴権を担う検察がそれを制御し、最終的には歯止めをかけるべき責任を負う。だが、今回はこれもまったく機能しなかった。一連の事件を最終的に担当し、大川原ら3人を起訴したのは、当時は東京地検公安部に在籍していた検事T。

その名を聞き、私はさまざまな疑問が氷解するような気分になった。この検事Tはかつて大阪地検に在籍し、2010年に大阪地検特捜部で発覚した証拠改竄《かいざん》事件でもその名が取り沙汰された〝問題検事〟だったからである。

その検事Tが東京地検公安部へと異動し、この事件では公安部の無茶な捜査に追随し、了承を与えて3人の起訴に踏み切った。検察関係者はこう明かす。

「もともと大川原化工機の捜査は別の検事が担当していて、その検事は公安部の捜査を問題視して取りあわなかったんです。ところがT検事は公安部の言いなりに動き、起訴にまで踏み切ってくれた。公安部としては実に都合のいい検事だったでしょう」

とすれば、こちらもすべての辻褄が合う。大川原化工機への最初の家宅捜索から逮捕まで1年以上も要し、延べ230回を超える執拗な聴取が繰り返されたのはなぜだったか。公安部側は無茶な捜査に躍起となったものの、当初は検察が立件に難色を示し、ところが検事Tの登場で歯止めが失われたのではなかったか。

いずれにせよ、警察の捜査をチェックすべき検察も機能せず、さらにいえば、司法権の砦たる裁判所がまたも検察の言いなりとなり、各種令状を発付し、弁護側の保釈請求を却下しつづけた。だから組織内部の思惑にもまみれた公安部の政治的暴走は止まらず、大川原化工機に猛然と襲いかかることになった。まさに公安警察の暴走と刑事司法の悪弊が凝縮された複合汚染図である。

そんな捜査のターゲットとされ、塗炭の苦悩に喘いだ大川原化工機へと再び話を戻す。

相嶋の死はもちろん家族にとって耐え難い悲嘆だったが、ともに苦労して30年以上も会社を支えてきた大川原や島田にとっても痛恨事だった。大川原、そして島田もまた、いまなお怒りと悔しさが募って消えない。大川原はこう言って唇を噛《か》む。

「相嶋さんの死因は、いくら悪性といっても胃ガンですからね。現在の最新医療なら、調子が悪くなったときにきちんと診てもらえば、こんなことには絶対なっていないはずです」

悔しさのわけはほかにもある。大川原と島田が330日以上も勾留され、6度目の請求でようやく保釈が認められたのは2021年2月5日。一方、勾留が一時停止された状態で治療を続けていた相嶋が息を引き取ったのはそのわずか2日後の2月7日だった。

しかし保釈後の大川原と島田は会社関係者との接触を一切禁じられ、病床の相嶋を見舞うこともできず、通夜や葬儀に参列して線香を手向けることさえできなかった。小さな会社を長年一緒に支えてきた仲間を失っただけでなく、その死をきちんと悼むことすらできなかった2人の痛憤はあまりに深く、あまりに切ない。

島田が最後に相嶋と直接話をしたのは、まだ公安部の任意聴取が続いていたころのことだった。聴取のために呼び出された都内の警察署で偶然会った相嶋は、島田の顔を見ると笑顔でこう声をかけてきたという。

「おい島田、これ（事件捜査）が終わったら一杯やろうな」

自らにやましいところが一切なかった相嶋もまた、意を尽くして説明すれば警察も理解し、聴取も早晩終わるに違いないと楽観していたのだろう。島田が振り返る。

「われわれ3人とも間違ったことはしていないと確信していましたからね。だから近いうちに一杯飲める、『ほらみろ！』と言い合いながら一杯飲めると、相嶋さんもきっとそう思っていたんでしょう。でも、それきり会えなかった。墓参りには後日行きましたが、これが本当に悔しくて悔しくて……」

明るくて酒好きだった相嶋と、笑って一杯やりたいというささやかな望みも、ついに叶わなかった。これもすべて、公安警察の暴走と刑事司法の歪みによるものにほかならない。しかも警察や検察からは、謝罪の言葉ひとつ発せられていない。

大川原と島田、そして相嶋の遺族はいま、高田らを弁護人として国と東京都を相手に国家賠償請求訴訟を起こしている。請求額は約5億6500万円。これだって決して十分ではなく、被った実害と苦痛にはとても見合わない。なにより相嶋は永遠に帰ってはこない。

だが、せめてもの弔い合戦であり、暴走した者たちとそれを許した者たちにきっちりと落とし前をつけさせねばならない。その公判はまもなく本格化する。

2022.3／世界

第4章　反警察国家

いま、その芽を摘め

岐阜県警大垣署――個人情報漏洩事件

２０２２年の2月21日、長良川《ながらがわ》の河川敷にもほど近い岐阜市の中心部にある岐阜地裁。注目の判決公判は予定通り午後3時に開廷し、多くのメディア取材陣も廷内や地裁周辺に詰めかけていた。岐阜県などを相手に損害賠償を求めた原告らが問うたのは、岐阜県警大垣署に所属する警備公安部門の警察官らによる情報収集活動の妥当性であった。

いまから10年近く前の２０１３年の夏から翌14年の初夏にかけて、大垣署警備課の警察官は、中部電力の子会社社員と幾度にもわたって面談し、自らが収集した情報を密かに提供していた。それは同社が大垣市などで計画していた風力発電施設に関する「勉強会」を開いた市民らの個人情報であり、提供された情報は「勉強会」参加者の氏名や学歴はもとより、市民運動の活動歴や病歴などに至るまで多岐におよんでいた。

しかも警察官らは「勉強会の主催者が、自然に手を入れる行為自体に反対する人物であることをご存知か」「大々的な市民運動へと展開すると、御社の事業も進まない」「全国に（運動が）広がっていくことを懸念している」などと同社側に〝警戒〟を促してもいた。

この事実は2014年7月24日に朝日新聞のスクープで明らかとなり、情報収集の対象とされた4人は2016年12月、警察のこうした活動は思想信条の自由やプライバシー権などを侵すものだとして国家賠償などを求める訴訟を起こしたのである。

そして5年余りをかけた公判の末に言い渡された判決。裁判長の鳥居俊一は計220万円を原告側に支払うよう岐阜県に命じ、県警大垣署の振る舞いを次のように指弾した。すなわち、大垣署が収集した個人情報は「思想信条に関するプライバシー情報の中でも要保護性が高い」ものであり、にもかかわらず大垣署は「必要もないのに原告らのプライバシー情報を積極的、意図的に提供し、みだりに第三者に提供されない自由を侵害した」——と。

判決が言い渡された直後、原告らは地裁前で〈勝訴〉〈公安警察の情報提供を断罪〉と大書した垂れ幕を掲げ、待ち構えたメディア報道陣のフラッシュを浴びた。だが、原告の一人となった近藤ゆり子はいま、判決についての率直な本心をこう吐露《とろ》している。

「あの場面では『勝訴』と言わざるをえませんでしたし、最悪の判決じゃなかったという意味では安堵しましたが、本音を言えば、私たちは二割程度しか勝っていないと思っています。だって判決は大垣署の情報収集活動そのものは認め、市民運動を危険視する警察の姿勢にはお墨つきを与えてしまっていますから」

北海道警――ヤジ排除事件

岐阜地裁の判決から約1ヶ月後の2022年3月25日、今度は北に遠く離れた札幌地裁の法廷でも、警察活動をめぐる重要な訴訟の判決が言い渡された。2019年7月に実施された参院選の際、札幌駅前で街頭演説した当時の首相・安倍晋三に向けて抗議の声をあげ、警備にあたっていた北海道警の警察官に無理やり排除された男女2人が北海道などに対して提起した損害賠償請求訴訟である。

「辞めろ！」「増税反対！」。演説のさなか、時の最高権力者に向けてそう声を発しただけで周辺から排除され、その後も長時間つきまとわれたのは現在34歳の男性と同26歳の女性。間もなく2人は多くの支援者らの支えも受け、法的根拠のない排除によって憲法が保障する表現の自由などを侵害されたとして、北海道に賠償を求める訴訟を起こしていた。

判決公判はこの日の午前11時に開廷し、裁判長の広瀬孝は判決で北海道に計88万円の支払いを命じつつ、道警警察官らの排除の問題点を次のように指弾した。すなわち、政治権力者に対する政治的表現の自由は「民主主義社会を基礎づける重要な権利」であり、「公共的、政治的表現の自由は、特に重要な憲法上の権利として尊重される」。なのに道警の警察官らは、そうした権利を行使した2人を無理やり排除したことによって「表現行為そのものを制限した」――と。

判決が言い渡された瞬間、法廷内では2人の支援者らから拍手が起きた。「安倍辞めろ！」

と声を発して強制排除され、訴訟の原告となった男性はいまこう語る。

「勝つと信じていましたが、実際に勝訴の判決が出た際は、ホッとした気持ちの方が大きかった。判決も私たちの訴えをほぼ認めてくれたので率直にうれしかったですね。ただ、私たちが職権濫用などの疑いで刑事告訴しても札幌地検は門前払いし、不当な警察活動に対するチェック機能が働いているとはいえないと思います。本来は道警を管理すべき公安委員会を含め、警察への民主的チェックが機能していない現状はどうにかすべきです」

同じく原告の女性は当時をこう振り返る。

「時の最高権力者に異議申し立てしただけであんなふうに排除されるのはどう考えても異常で不当です。それを認める判決が出ると期待してはいましたが、裁判所に通じるかは確信はなかったので、勝訴の判決が出た時はもう信じられなくて嬉しくて……。少しですけれど司法に希望を抱くようになりました」

だが、彼女もまた諸手を挙げて歓喜しているわけではない。

「判決が出ても道や道警は責任を取らず、明確な謝罪もなく、逆に道知事は判決を不服として控訴しました。ですから今後どうなるか、控訴審がどんな判断を示すか、期待しつつ不安もあります」

謝らない警察、拡大する警察権限

岐阜県警の警備公安部門による市民監視活動にせよ、北海道警による市民の強制排除にせよ、今回はいずれも司法権の砦たる裁判所がそれなりの見識を示し、警察の不当な、あるいは行きすぎた活動に一定の警告を発する役割を担ったとはいえるだろう。

ただ、両訴訟の原告らも語ったように、いずれの判決も——特に岐阜地裁の判決は決して十全といえず、また北海道が一審判決を不服として控訴したのと同じく、岐阜県もすでに控訴しており、双方ともに控訴審でどのような判断が示されるか流動的な面が残る。

また、なによりも両訴訟の一審判決を受けても岐阜県警、また北海道警も原告らに謝罪の意すら示しておらず、関係者が責任を取ることもなく、再発防止などに向けた措置も示されていない。最低限の謝罪や責任追及すら行われないなら、再発防止の措置が取られるはずもなく、取れるわけもない。

なのに、政治やメディアの問題意識が高いとはいえず、むしろ驚くほど希薄に見える。それどころか、最近10年ほどの警察組織を取りまく政治状況を振り返ってみれば、この国の政権与党はそんな警察組織に強力無比な〝武器〟ばかりを次々と投げ与え、背後では警察官僚が政治の中枢に深々と突き刺さってそれを巧《たく》みに差配し、結果として警察組織と警察官僚はその権限と権益をかつてないほど肥大化させつづけてきた。

具体例を挙げはじめればキリはない。

広範な懸念や反発の声を押し潰し、政権と与党が特定秘密保護法を強行成立させたのは2013年。盗聴法こと通信傍受法を強化し、対象犯罪などを大幅に拡げる改定案を成立させたのは2016年。「テロ等準備罪」などという粉飾名をまぶした共謀罪法が成立したのは2017年。いずれも警察活動などの透明性を著しく低め、逆にその情報収集能力や範囲を極度に拡大する治安法ばかりである。

また2021年には重要土地利用規制法も成立した。自衛隊や米軍基地、あるいは原発周辺といった「重要施設」周辺の土地利用者らを広範に調査し、しかもその「施設」に対する「機能阻害行為」などを禁ずる法は、肝心の「施設」や「機能阻害行為」の定義があいまいなまま成立、施行され、警察の警備公安部門が従来行ってきた市民監視、情報収集活動に法的なお墨つきを与えるばかりか、基地や原発などに反対するデモや集会が制限されてしまいかねない危険性さえを孕《はら》む。

監視組織化する警察

今国会で成立した経済安保推進法にも同じようなことがいえる。

主に中国を念頭として米国が旗を振る「封じ込め」を主眼とする同法は、①「特定重要物資」の供給網強化、②基幹インフラの安全確保のための「事前審査」、③先端技術開発での官民協力、④核や武器関連技術の特許非公開——などを柱とし、違反者には刑事罰も科せられることとなった。

だが、これは企業の自由な経済活動や研究開発を萎縮させかねず、研究者が軍事研究に動員される懸念も強いうえ、またも「重要物資」や「事前審査」の対象が具体的に明示されず、今後の政令や省令に委ねられた項目は実に140ヶ所近くにも達している。

畢竟、これではどのような経済活動がどの程度規制されるかがはっきりせず、刑事罰までともなうなら警察による企業活動への監視、捜査の余地が際限なく広がりかねない。

それが決して杞憂《きゆう》でないことは、私が先に書いたルポルタージュ（本書第3章収録）を読んでいただければよくわかるだろう。中小企業ながらも噴霧乾燥機分野で優れた技術を持つ大川原化工機（本社・横浜市）をターゲットとし、中国などに無許可で機器を不正輸出したとして警察庁公安部が社長ら3人を外為法違反容疑で逮捕した事件は、初公判のわずか4日前に東京地検が起訴を取り消すという異様な経過をたどった。端的にいえば公安部の見込み捜査が恐ろしく杜撰《ずさん》かつ強引であり、これでは公判を維持できないと判断した検察が白旗をあげて早々に全面敗北を宣言したのである。

なのに事件には〝人質司法〟といったこの国の刑事司法の悪弊も重なりあい、容疑を否認した社長らは1年近くもの勾留を強いられ、経営陣の長期不在と世の批判にさらされた同社は窮地に陥った。しかも技術担当の幹部だった男性は勾留中に体調を崩し、速やかな医療すら受けられずに死亡するという悲劇まで起きた。社長らは現在、国や東京都を相手取って国家賠償請求訴訟を起こしているが、この件でも警視庁は一片の謝罪の意すら示しておらず、捜査を指揮した公安部長や外事1課長らを含めて誰一人として責任を取ってもいない。

一方でこの4月に警察法が改定され、警察庁に「サイバー警察局」と「サイバー特別捜査隊」が創設された動きにも触れておかねばならない。これも戦後日本警察のありようを大きく変貌させる重大事だからである。

戦後日本の警察組織は、直接の捜査権を各都道府県警（東京は警視庁）が担い、国の機関として1954年に設置された警察庁はその「調整」や「指揮監督」などの役割にとどめられてきた。極度に中央集権化された国家警察組織が軍部ファッショの尖兵となって人権を蹂躙《じゅうりん》した戦前戦中の反省などにもとづくものであり、ある意味では戦後日本の矜持といえる仕組みでもあった。

だが、「重大サイバー犯罪」への対処を名目として今国会で警察法が改定され、サイバー警察局とサイバー特別捜査隊が警察庁に新設され、国の機関たる警察庁が発足以来初めて直接の捜査権を握ることとなった。複雑化するサイバー犯罪への対処の必要性を否定しないにせよ、ある意味でこれは戦後日本の矜持を放擲《ほうてき》する国家警察復活への第一歩とも捉えられる。

なのに政治もメディアもさほどのリアクションを示さず、そのことの是非を深く広く思考した気配は極度に薄い。いや、これほど続々と警察組織の権限ばかりが強化、拡大されつづけているのに、そうした動きに対する政治やメディアの感度が鈍り、最低限の歯止めをかけようとする議論もわきおこっていない現状を私は心から憂える。

骨抜きにされた民主的統制システム

あらためて記すまでもなく、警察組織は軍などと並ぶ国家の「暴力装置」であるとマックス・ウェーバーは『職業としての政治』に記した。この国では最近、この言葉を使うと非難される妙な知的劣化現象が起きているようだが、実際に警察は市民を強制捜査したり逮捕・勾留する権限を持ち、同時に拳銃や機動隊といった武器や実力組織も有している。

また、戦後日本の警察は北海道から沖縄に至るまでの全国津々浦々に30万人近い人員を配し、特に警備公安部門は事実上の情報機関としての役割も担い、間違いなくこの国で最大最強の情報収集能力を擁《よう》している。

だからこそ、政治や社会は警察という危うい巨大権力を民主的かつ適切に統制しなければならず、それに失敗すれば「暴力装置」は制御を失って暴走してしまいかねず、暴走した際に引き起こされる人権侵害は市民社会に甚大な害悪を与え、民主的社会は窒息に追い込まれてしまいかねない。

それを避けるためのひとつの重要な仕組みとして、戦後日本の警察組織には公安委員会制度が導入されてきた。国の機関たる警察庁は国家公安委員会の、各地の都道府県警はそれぞれの都道府県の公安委員会の管理に服し、国家公安委員長には国務大臣が充てられるものの、その他の委員は民間有識者が選ばれ、委員会は合議制で運営される。

つまり政治と警察の間にクッションを置いてその政治的中立性を担保し、強大な警察権を時の政権や都道府県知事らが恣意的に運用したり、逆に警察が政治に介入したりするような事態を防ぐためのシステムである。

しかし、この民主的統制システムは主に警察側の思惑によって徐々に骨抜きにされ、近年は相当に形骸化させられてしまっている。国家公安委員会の委員も例外ではないが、各都道府県の公安委員の人選は警察が事実上担い、その職はまるで地元名士らの名誉職と化し、警察組織を適切かつ厳格に管理できているとは到底言い難い。そもそも委員会の事務局機能を警察が担っているのだから、当の警察を適切かつ厳格に管理できるはずもない。

しかも、これもまたこの10年ほど——特に第2次安倍政権から顕著になった傾向だが、警察官僚やその出身者が政権の中枢に深々と突き刺さり、政権の政策に深く関与しているばかりか、霞が関官僚の人事から外交、安保政策に至るまでを幅広く差配するようにもなってきた。

それを端的に示すのは、8年近くに及んだ第2次安倍政権下、官僚トップの座にあたる事務担当の官房副長官に警察官僚出身者が起用されつづけた点であろう。実をいえば第1次安倍政権でも警察官僚を重用する兆候は現れていて、当時警察庁長官だった漆間巌《うるまいわお》が麻生太郎政権下で官房副長官に抜擢されている。戦後政治史を振り返れば、過去に後藤田正晴ら警察出身者が官房副長官に就いた例はあるものの、いずれも戦前の内務省出身者であり、戦後の警察庁出身者としては漆間が初めてのケースだった。これは北朝鮮による拉致問題をめぐって漆間が安倍のお気に入りになったのが重用の理由だと囁かれた。

政権のための警察——私生活への介入

そして第2次安倍政権では経産官僚とともに警察官僚が本格的に厚く遇される。政権発足時から官房副長官に起用されたのは、警備公安警察を統括する警察庁警備局長や内閣情報官などを歴任した杉田和博。以後の菅政権に至るまで杉田は実に9年近くも官房副長官の職にありつづけたばかりか、各省庁の幹部官僚人事を一元管理する機構として2014年5月に内閣人事局が発足すると、間もなくそのトップの局長までをも兼務したのである。

これを余談というには重大すぎるエピソードだが、警察官僚出身者が——まして警備公安部門の出身者が時の政権中枢に突き刺さり、官僚トップの立場で幹部官僚人事まで差配しはじめるとどのようなことが起きるか、思い出されるのは元文部科学事務次官の前川喜平に襲いかかった「出会い系バー通い」のスキャンダルである。

周知の通り前川は、文科事務次官退任後の2017年5月25日に都内で会見し、いわゆる加計学園問題をめぐる政権の姿勢の問題点とその内幕を実名で告発した。なかでも半世紀ぶりとなる同学園の獣医学部新設の背後には「総理のご意向」などがあったと明記した文科省の内部文書が真正なものだと明かしたのは、政権にとっては心底苦々しく事前に押さえこみたい告発でもあったろう。

その直前、5月22日付の朝刊で読売新聞が〝スクープ〟した前川の「出会い系バー通い」記事は、誰がどう考えても告発者＝前川の信用を毀損《きそん》し、その告発自体を潰《つぶ》そうと狙った政権のリークによるものだった。

かつて通信社の記者として警察の警備公安部門を長く取材した私の経験に照らしていえば、幹部官僚のこれほど機微なプライベート情報を収集できる組織など、この国には警察の警備公安部門以外には存在しない。詳しくは拙著『日本の公安警察』を参照していただきたいが、実際に警察の警備公安部門は以前から中央省庁幹部らの政治思想や政治活動を監視し、左派的と目した官僚の私生活を調べあげて放逐する作業にまで密かに手を染めてきた。

前川の場合、おそらくは事務次官などに就任するにあたって警備公安部門が〝身体検査〟を実施し、その作業のなかで「出会い系バー通い」の情報をつかんだのだろう。前川自身、次官就任後に官房副長官の杉田から官邸に呼び出され、そうした事実を告げられると同時に警告を受けて驚いたと振り返っている。

強調しておかねばならないが、前川が東京・新宿の「出会い系バー」に出入りしていたとしても、買春などの違法行為に手を染めた証拠や情報などは一切なく、まして勤務外のプライベートでどこに行こうが非難されるいわれはない。逆に、いくら幹部官僚とはいえその私的動静まで監視する警備公安警察の活動こそが警察権の逸脱であり、仮に百歩譲ってこうした活動を容認するにせよ、政治的中立を守るべき警察がその活動のなかで得た情報を政権が恣意的に利用するのは——まして政権の問題点を指摘する告発者潰しに使うなどという行為は、断じて許されざる警察権の悪用、濫用にほかならない。

だが、警備公安警察を統括する警察庁警備局長や内閣情報官などを歴任した杉田なら、こうした情報を自在に入手できたろうし、だからこそ政権は杉田を厚く重用しつづけたのだろう。これこそが「暴力装置」たる警察の、そして事実上の情報機関でもある警備公安警察の強力なパワーであり、政治と一体化して時の政権がそれを悪用した際の危うさが見事なほどに凝縮されている。

警察官僚出身者が政治中枢を牛耳る

第2次安倍政権でその中枢に突き刺さった警察官僚出身者は杉田にとどまらない。

やはり警察庁で外事部門をはじめとする警備公安警察系の幹部を歴任し、内閣情報官なども務めていた北村滋は、これも第2次安倍政権下で2014年に新設された国家安全保障局（NSS）の第2代局長に起用された。NSSは首相、外相、防衛相らで構成する国家安全保障会議（NSC）を〈恒常的にサポート〉しつつ〈国家安全保障に関する外交・防衛・経済政策の基本方針・重要事項に関する企画立案・総合調整に専従〉（内閣官房ホームページより）する組織であり、そう考えれば第2次安倍政権は各省庁間の総合調整から幹部官僚人事、さらには外交や防衛・経済政策の企画立案に至るまでの実務を警察官僚出身者が、しかも警備公安部門の出身者が牛耳っていたことになる。

にもかかわらず、「一強」政権の横暴にすっかり麻痺してしまっていたのか、あるいは「暴力装置」たる警察の民主的統制といった原則への関心が薄いのか、ここでも野党やメディアなどはさほど問題視しなかった。だが、政権中枢に警察官僚出身者がこれほど重用されたのは戦後初めてであり、警察と政治が本来保つべき一線を完全に踏み越えた異常事態である。

その杉田と北村は、第2次安倍政権を引き継いだ菅政権の退陣とともに官邸を去ったが、官邸が警察官僚出身者を重用する傾向は岸田政権にも一部受け継がれ、現在の官房副長官にはやはり警察庁長官などを歴任した栗生俊一が起用されている。

こうした政治権力と警察権力の歪《いびつ》な蜜月と一体化が、特に安倍政権下で続いた数々の治安法成立などと無縁であるはずがない。むしろ浅薄皮相なナショナリズムに傾いて国家機能の強化ばかりを志向する愚かな世襲為政者に警察官僚が取り入り、ある意味で利用し、かねてからの宿願だった治安法を次々と手に入れてきたと捉えるほうが実態に近かったのではないか。

そして再び戦後日本の警察史を振り返れば、一応はそれぞれ独立した公安委員会の管理に服する自治体警察の形態をとってきた各都道府県警察は、現実には幹部人事や予算を牛耳る警察庁を頂点とする上位下達のピラミッド型組織の色彩を強めてきた。特に警備公安部門はその傾向が強く、前述したように戦後日本において警察の警備公安部門は事実上の情報機関の役割も担い、その実態は、時の政権や与党の意向に従属しがちなある種の思想警察でもあり政治警察でもある。

「暴力装置」たる警察を止めるには

そこで冒頭に紹介した岐阜県警と北海道警の問題活動に話を戻せば、岐阜県警による市民監視と大手電力子会社への情報提供は、ある意味で極めて古典的な警備公安部門の活動例であり、一方の北海道警による不当な市民排除は、警察官僚出身者が深々と突き刺さった「一強」政権への過剰な「忖度」が生み出した警察活動の歪み、逸脱と評することができる。

また、今回は司法がその不当や行きすぎに一定の警告を発したとはいえ、肝心の警察自身は一片の謝罪すら口にしておらず、責任の追及や再発防止の措置などもなんら講じていない。逆に警察は政治との一体化を深めて権限や権益をひたすら膨張させ、かねてから宿願としてきた数々の治安法も次々と手に入れ、一方でその権限や権益の拡大に最低限の歯止めをかけようという議論すら出てこない政治状況は貧困にすぎる。

まったく好みでない言葉をここであえて持ち出せば、強大な権力を持つ「暴力装置」たる警察の怖さや民主的統制の必要性に鈍感な政権と現在の政治状況こそが「平和ボケ」であり「お花畑」と評するべきだろう。だから本稿の最後に、ささやかながら提言めいたものを記しておきたい。

といっても、それは別に突飛でもなければさほど難しいものでもない。警察を民主的に統制する仕組みとして戦後導入された公安委員会制度にあらためて息を吹き込み、再生・強化すること。国家公安委員にせよ、あるいは都道府県の公安委員にせよ、人選をもっと公的化し、民主的な手続きに則ったものにすること。

これは自戒も込めて記さねばならないのだが、国務大臣である国家公安委員長を除く5席の国家公安委員のうちの1席は、実のところ大手メディア出身者の〝指定席〟と化していて、現在は読売新聞の政治部長などを歴任した人物が就いている。近年は共同通信、産経新聞などの記者出身者が就任していて、得ている年収は実に2000万円を軽く超える。そもそもそれは警察組織を管理する国家公安委員の職の重さを示してもいるのだが、現在は週に一度開かれる委員会に出席する程度の、まさに〝お飾り職〟に過ぎない。だからメディア記者出身の委員を含めて警察を適切に管理しているとはとてもいえず、途切れることのない冤罪や不祥事といった警察の構造的問題に公安委員会が適切に切り込んだ事例など皆無に近い。

このような「官」と「報」の歪んだ癒着や名誉職的な人選が横行する現状をあらため、国家公安委員や各都道府県の公安委員の人選を透明かつ民主的なものにし、警察行政やその問題点に精通した者を充てる仕組みにすること。と同時に、公安委員会の事務局機能を警察から引き剥がし、委員会に独自の手足となるスタッフや機構を十全に整えること。

そうした公安委員会なら、冤罪の被害者や警察の不当な捜査、あるいは行きすぎた活動によって不利益を被った人びとの訴えに応え、その原因や責任の所在の究明、そして再発の防止に向けた措置を一定程度は警察側に取らせることが可能になるだろう。

繰り返すが、これは決して突飛でも難しくもなく、あまりにささやかな、そして現在はすっかり形骸化してしまった民主的制度をきちんとした形に蘇らせようという提案にすぎない。もちろんこれだって決して十分とはいえないが、せめてそれくらいの改革を施さなければ、近年における警察組織の権限と権益の大幅拡大にはとても見合わない。

逆にこの程度の改革を試みようという発想すら出てこないのは、国家の「暴力装置」を民主的に統制する必要性に思いが至らない政治の極度の貧困と劣化を如実に示していると私は思っている。

2022.7／世界

政治の尖兵と化す警察

政治と警察の一体化

――先般、警察庁長官に中村格氏、警視総監に大石吉彦氏が就任しました。中村氏は菅義偉官房長官の秘書官を長く務め、伊藤詩織さんをめぐる準強姦容疑の逮捕状執行を止めた人物、大石氏は安倍晋三首相の秘書官を6年以上務めた人物です。青木さんは『情報隠蔽国家』（河出文庫）で政治と警察の一体化を批判していますが、今回の人事をどのように見ていますか。

青木　これは別に警察に限った話ではありませんが、首相や官房長官の秘書官には各省庁とも「優秀」とされる官僚を送り込んできましたから、その秘書官経験者が組織の上層部に就くこと自体、別に驚くような話ではないでしょう。ただ、政治との怪しい一体化を公然と指摘される官僚はそもそも官僚として不適切であり、しかもそんな警察官僚が栄達を遂げてしまうのは、民主主義国としては末期的に恥ずべき現象です。なぜか。

マックス・ウェーバーの言葉をあらためて引くまでもなく、古今東西、政治体制の左右を問わず、警察は軍隊などと並ぶ国家の暴力装置です。軍の本来任務が国防だとすれば、警察の主な任務は国内の治安維持ですから、警察とは常に国民弾圧の尖兵に転じかねない危険性を孕む組織です。しかも日本の警察組織は戦後、他国の警察組織と比較しても強大な権限と能力を有してきました。

　たとえば戦後日本は専門の情報機関を持たずにきましたが、その役割は事実上、警察の一部門である警備公安警察が担ってきました。また、自衛隊の情報部門などについても実態は警備公安部門の警察官僚が大きな影響力を行使してきたのです。それほど強大な力を持っているからこそ、明らかな実力組織である自衛隊の文民統制が必要なのと同様、警察組織も徹底して民主的な統制が求められます。

　と同時に、政治が警察を好き勝手に動かすような事態も避けねばなりません。時の政権が「あいつを逮捕しろ」とか「あいつには手心を加えろ」などと言い出したら暗黒社会です。実際に現在、それが疑われているわけですが、逆に強大な権限を持つ警察が政治を不当に牽制《けんせい》するような状態も避ける必要があります。

　本来、そのために導入されたのが公安委員会制度です。これは戦前戦中の警察がファッショの尖兵となった反省から戦後生み出されましたが、警察庁は国家公安委員会の、各都道府県警は各都道府県公安委員会の管理にそれぞれ服し、国家公安委員長は政治家が就くものの、他の委員は民間の有識者から選ばれる。そうした公安委員会が警察を管理する形を取ることで、政治が警察に直接手を突っ込んでコントロールするのを防いでいるわけです。

　その公安委員会制度が実態としてどう運営されているかといえば、事務局を警察が担い、委員の任命も警察が恣意的に選ぶケースが大半で、もはや完全なお飾りと化してしまっているのが現実です。不祥事が続発しても、警察に対して厳しい意見を突きつけることもない。真相の解明に向けた注文をつけることもない。この公安委員会制度の立て直しは重要な課題だと思いますが、それでも一応は政治と警察の間のクッションとして存在しているのです。

しかし、安倍政権は警備公安部門出身の警察官僚を厚く重用し、政治と警察の直接的一体化が極度に進んでしまいました。ついには官邸官僚としての権力の中枢、官邸の中枢で警察官僚が大手を振るようになってしまったのです。

その代表格が、安倍内閣と菅内閣で官房副長官を務めた杉田和博です。警察官僚出身の杉田は、警備公安部門の要職を歩んできた公安警察の大物OBです。しかも彼は内閣人事局長まで兼務するようになりました。内閣情報官や国家安全保障局長を歴任した北村滋も、警備公安部門出身の警察官僚でした。

つまり安倍内閣や菅内閣では、官僚人事から外交・安保政策までを警察官僚が取り仕切ったことになります。戦後警察が情報機関的な役割も担ったことを考えれば、これがいかに異常なことかわかるでしょう。情報機関や治安機関出身者が政権の中枢で幅広い権力を掌握するなどというのは、どこぞの独裁国家と変わりがないと謗《そし》られても仕方ありません。

きっかけは第1次安倍政権

――政治はいつごろから警察と一体化するようになったのでしょうか。

青木　政治と警察の怪しげな一体感はいまに始まった話ではありません。例を挙げていけばキリがありませんが、たとえば1986年に神奈川県警が日本共産党の国際部長宅を違法盗聴していた事実が発覚しました。そもそも戦後の公安警察は「反共」「防共」を最大のレーゾンデートルとして発足し、冷戦時代は主に左翼の監視と取り締まりが行動原理となり、それは自民党の利害とも一致していました。そのため、政治と警察の距離、なかんずく政治と警備公安警察の距離はかなり近かったわけです。

しかし、現在ほど公然かつ露骨に政治と警察が結びつく原因を作ったのは安倍晋三政権です。安倍は第1次安倍政権のころから警察官僚たちを重用し、当時は警備公安部門出身で警察庁長官だった漆間巌を可愛がっていました。

安倍と漆間が親しくなったのは、北朝鮮による拉致問題がきっかけだったと言われています。安倍が政界の階段を駆けのぼるきっかけになったのは拉致問題ですが、漆間は安倍のもとに拉致に関する様々な情報を持っていったそうです。漆間としてはそれで擦り寄ったのか、安倍との距離がぐっと縮まったことは確かなようです。

しかし、第1次安倍政権はわずか1年で倒れ、新たに福田康夫内閣が誕生しました。その福田内閣も短命に終わり、麻生太郎内閣が誕生すると、漆間は官僚トップの座となる官房副長官に任命されます。これは安倍から麻生への申し送りがあったからだと囁かれています。

第2次安倍政権で警察官僚出身の杉田和博も官房副長官になりましたが、実は戦後の警察庁出身者で初めて官房副長官に就いたのが漆間でした。もちろん、歴史をひもとけば過去に後藤田正晴をはじめ、警察庁出身者が副長官に就いた例はありますが、実は後藤田らはいずれも戦前の旧内務省出身者です。敗戦後に解体された内務省は警察にとどまらず、「ゆりかごから墓場まで」を管轄すると評された巨大官庁ですから、戦後の警察庁出身者とは本質的に違いますし、警察という相当に異質な役所の出身者は官僚組織全体を睥睨する官房副長官の座に相応しくないともいえるでしょう。

だからなのか、官房副長官としての漆間は間もなくみっともない舌禍《ぜっか》事件を引き起こします。麻生政権時代に検察が西松建設事件をめぐって民主党の小沢一郎を捜査していたとき、この捜査が自民党議員に、つまりは与党にまで及ぶことはないと記者たちに言い放ち、猛烈に批判されたのです。少し考えれば、当然のことです。検察捜査に介入するような力が漆間にながったとはいえ、法務・検察も一応は行政機関の一翼に位置しているわけですから、官僚組織全体を睥睨する立場の官房副長官がそのような発言をすれば批判されて当然です。所詮、漆間はその程度の人物だったし、漆間を取り立てた安倍晋三の人物眼もその程度だったということでしょう。

だというのに、第2次安倍政権が発足すると、またも警察官僚出身の杉田を官房副長官に登用したのです。

曖昧で粗雑な重要土地利用規制法

――第2次安倍政権や菅政権では警察の権限を広げる法案がいくつも成立しました。青木さんは菅内閣が成立させた重要土地利用規制法を批判しています。

青木 重要土地利用規制法は、凄まじく粗雑な治安法です。この法律は、米軍や自衛隊の基地、あるいは原発といった「重要施設」の周辺約1キロメートルの範囲などを「注視区域」、または「特別注視区域」に指定し、その区域内の土地所有者や利用者らに関する広範な監視と情報収集を可能にするものです。また、指定された「重要施設」への「機能阻害行為」を禁じ、命令に従わなければ刑事罰も加えられるとしています。

政府与党はこの法律の必要性について、「重要施設」周辺や国境近くの離島の土地が外国資本などによって買い占められるのを防ぐためだと強調していました。しかし、衛星やサイバー空間での情報収集が主流の現代、周囲の土地を買い占めるなどというアナクロな方法で諜報活動にあたるという発想そのものが時代錯誤であり、薄っぺらで陳腐な排外主義的気配しか感じられません。

さらに問題は、「重要施設」や「機能阻害行為」とはなにかが条文で明確に定義されておらず、いずれも今後の政令などに委ねられるとされていることです。これではありとあらゆる施設が「重要施設」に指定され、ありとあらゆる行為が「機能阻害行為」として刑事罰の対象にされかねません。信じがたいほどの曖昧さと粗雑さです。

こうなると真っ先に狙われそうなのが、沖縄の米軍基地建設や原発などに反対する各種の市民運動です。現に、国会で野党側から懸念の声があがったとき、与党議員が沖縄の米軍基地反対運動にも適用すべきだと口走り、はしなくもこの治安法の正体を浮き彫りにさせる場面がありました。

この悪法をなぜ警察が望むのか。戦後の警察は「反共」「防共」をレーゾンデートルとする情報機関的な役割を担いつつ、警察機関であるがゆえに自ずから一定の限界を持っていました。最近ではその限界もすっかり突破されてしまっていますが、具体的に犯罪が起きるか、あるいは起きる蓋然《がいぜん》性が高い場合を除けば、好き勝手に情報収集などしてはならないという歯止めがかかってきたのです。

しかし、重要土地規制法案はその歯止めを突破させるものです。仮に犯罪の蓋然性がなくとも、重要施設の周辺というだけで、いくらでも調査活動ができるからです。

結局のところこの法律は、特定秘密保護法や共謀罪法、あるいは通信傍受法の大幅強化などと同様、警備公安部門を中心とする警察組織の権限と権益を広げるものであり、官邸中枢に突き刺さった警備公安部門出身の警察官僚はほくそ笑んでいるでしょう。時の政権の中枢に警察官僚が深々と突き刺さり、その政権や与党周辺に漂う陳腐な排外主義やナショナリズムを梃子にしつつ、かねてから欲しくて仕方なかった法律が次々と実現することになったのですから。

幸いにして、現時点ではこれらの法律が凄まじい勢いで悪用されている気配はそれほどありません。しかし、これから先、厄介な為政者が登場すれば、あるいは有事の名の下に治安維持が過剰に叫ばれるような事態が起きれば、時の政権への反対勢力や抵抗運動を押さえつけるための格好の武器として縦横に利用されかねません。

リベラル政権の必要性

――官房副長官の杉田氏は歴代最長の在職日数を記録しましたが、同じく官房副長官を歴任した後藤田正晴には遠く及ばないと思います。後藤田も巨大な権力を握っていましたが、中曽根内閣の官房長官時代には自衛隊の海外派遣に反対するなど、戦争反対の立場を堅持していました。後藤田は杉田氏と違い、権力の暴走に対する警戒感を持っていたのだと思います。

青木　おっしゃる通り、そこが最も重要です。確かに後藤田も警察庁長官まで務めたバリバリの治安官僚ですが、生前に朝日新聞のインタビューで「日本にも情報機関が必要か」と問われ、「僕は日本という国を運営するうえで必要な各国の総合的な情報をとる『長い耳』が必要だと思う。ただ、これはうっかりすると、両刃の剣になる。いまの政府、政治でコントロールできるかとなると、そこは僕も迷うんだ」と答えています。

つまり後藤田は、戦前戦中の内務官僚などとしての体験を踏まえ、情報機関や治安機関などというものは一歩間違えれば暴走して手がつけられなくなる代物だということを知悉していた。晩年の後藤田はしばしばハト派と言われましたが、私に言わせればハト派というより、治安官僚として国家権力の危うさ、怖さへのリアリズムを持っていたと言うべきだと思います。

時代も状況も違いますが、私が最近感心したのは、台湾の蔡英文政権でデジタル担当大臣に就いているオードリー・タン（唐鳳）です。タンは『オードリー・タン　自由への手紙』（講談社）で、情報や透明性をめぐる国家と国民の関係について概略こう述べています。国民から見ると国家には透明性があり、国家から見ると国民には見えない部分がある、それこそが国が国民から信頼されるための方策だ、と。

まさにこれは民主的な国家の基本です。そうした発想を持つ人物がデジタル相に就いて辣腕《らつわん》を振るう台湾が新型コロナウイルスを抑え込み、薄っぺらな国家主義やナショナリズムを煽る警察官僚に中枢を牛耳られた日本の政権がコロナ対策で圧倒的な失敗を繰り返しているのは非常に示唆《しさ》的です。

また、世界的に見ても、民主的な政権は国家権力や治安機関の暴走を警戒し、そこに適切な歯止めをかけようと努めるものです。たとえば国家などによる人権侵害から市民を守る独立性の高い人権機関を設けている国は多くあり、韓国でも民主化後、国家人権委員会が設立されました。

ひるがえって日本がどうかといえば、法務省の人権擁護局が人権侵害への相談を受ける程度です。しかし、名古屋入管の収容施設で死亡したスリランカ人女性やその遺族のような人びとはどこに訴え出たらいいんでしょうか。入管を所管する法務省に人権侵害を訴え出るなんて、まるでブラックジョークでしょう。

——どうすれば政治と警察の一体化を防げますか。

青木　本来は、警察のような国家の暴力装置には、法的にも制度的にも適切な枠をはめて歯止めをかけることが重要です。と同時に、そうした権力は人権侵害をしばしば引き起こすものだから、そうした事案をきちんと調査して対応する第三者的な人権組織を創設すべきでしょう。

しかし、現在の与党にはオードリー・タンのようなリベラルな知性はもちろん、後藤田のように真にリアリストの治安官僚出身者もいません。大手を振っているのは、安倍のように国家権力の怖さを考えたこともないボンボンの世襲議員ばかり。そこに警察官僚がつけ込んで権限をひたすら肥大化させている。

ならば、陳腐な結論とはいえ、政権交代によってリベラルな政権を作るしかありません。それ以外に政治と警察の不適切な一体化を押しとどめる方法はないと思います。

2021.11／月刊日本／聞き手＝中村友哉

第5章 事件以前――理の眼2

世論工作

防衛省が世論に影響力を持つ〝インフルエンサー〟に直接働きかけ、防衛予算増への理解を求める計画を進めていると朝日新聞（9月17日付朝刊）が報じました。ネットで人気のユーチューバーやテレビの情報番組に出演する芸能人、学者、メディア人ら100人ほどを対象に選び、防衛省が「省全体を挙げて」その必要性を説明していく計画なのだとか。

正直に言って、特に驚く話でもない、と僕は経験的に感じました。ただ、驚く話ではないと感じること自体、実は驚くべきことではないか、とも思うのです。

そこでふと思い出した本があります。本紙記者が編者となって約2年前に刊行された『内閣調査室秘録　戦後思想を動かした男』（志垣民郎著、文春新書）。著者は内閣直属の情報機関として戦後発足した内閣調査室（内調＝現・内閣情報調査室）に長く勤務し、当時の日記などをもとに内調の活動の一端をかなり率直に明かしているのです。

本書によれば、著者の主な任務は「知識人対策」。その内実を本書は赤裸々にこう記します。〈内閣調査室の知識人対策は、進歩的文化人への攻撃にとどまらなかった。並行して、これは、と目を付けた「現実主義者」とのパイプも築いてきた〉〈政府に味方する保守の言論人を確保することも（略）重要な役割だった。右に行くのか、左に行くかわからない有望な学者に、テーマと研究費を与え、保守陣営につなぎとめる〉

つまり、時の政府にまつろわぬ「進歩的文化人」たちには「攻撃」を加え、政府に追従しそうな者たちにはカネや飲食、便宜などを供与して懐柔、あるいは籠絡《ろうらく》していった、という活動。言うまでもなく原資は税金であり、そうして懐柔や籠絡に成功した者たちの具体名も本書は幾人もあげているのです。

もちろん、ここに記されたことは半世紀以上も前の昔話。ただ、内調は現在も類似の活動を繰り広げていて、その質と量はかつてより拡大しているでしょう。防衛省の今回の計画もある意味で相似形。そう考えると、テレビやネットでおなじみの顔が、政権擁護に躍起なその顔が、幾人も浮かんできてしまうような気も……。

しかしこれは、あまりに不健全な〝世論工作〟であって、そんなことにカネと熱意を注ぎ込む役所も問題ですが、カネや便宜供与で節を曲げる――あるいはもともと節などない「知識人」にこそ厳しい眼を向けるべきなのでしょう。

2021.9.22

メディアというインフラ

「新聞なき政府か、政府なき新聞か、いずれかを選べと問われたら、迷いなく後者を選ぶ」。そんな言葉を遺したのは第3代米大統領ジェファーソン。ここでいう「新聞」という言葉は、現在ならメディアとかジャーナリズムと置き換えても構わないでしょう。政府などの圧力やプロパガンダに屈せず、事実を果敢に伝えるメディアが民主主義社会でいかに大切か、それを端的に表す警句として今に伝えられていますが、一方でジェファーソンはまったく逆の言葉も発しています。

「新聞で唯一信頼に足る真実を含むのは広告だ」「何も読まない者は新聞しか読まない者より賢い」。権力者として新聞の辛辣な批判にさらされたことへのいら立ちゆえか、それでも「情報は民主主義における貨幣である」という警句もジェファーソンは遺していますから、メディアの重要性はもちろん認識していたでしょう。

その使命を命がけで果たすジャーナリスト2人に、今年のノーベル平和賞が贈られることになりました。ロシアの新聞『ノーバヤ・ガゼータ』のドミトリー・ムラトフ編集長と、フィリピンのネットメディア『ラップラー』のマリア・レッサ代表。ムラトフ氏は「仕事に命をささげた同僚らへの授賞だ」と語り、レッサ氏は「闘いにはチームが必要」と述べたそうです。

たしかに両国とも政権はひどく抑圧的。ロシア・プーチン政権下ではジャーナリストが幾人も不審死し、ドゥテルテ政権のフィリピンでもメディア関係者への銃撃、脅迫などが頻発していて、国境なき記者団が毎年公表する報道の自由度ランキングでロシアは150位、フィリピンは138位に低迷しています。

ただ、僕らだって人ごとじゃありません。同じランキングでこの国も67位、先進国では最低レベルに落ちこみ、「一強」政権の恫喝で大手メディアに萎縮や忖度の気配が広がる一方、政権の提灯持ちのごときメディアやジャーナリストも大手を振る始末。

ジェファーソンの先の警句をさらに敷衍《ふえん》すれば、事実を伝えて権力を監視するメディアは民主主義社会の基礎インフラであり、そうして流通する情報は水であり、空気であり、それなしに僕たちは生きられないのです。平和賞を受けることになった2人が命の危険にさらされつつ使命を果たしていることを考えれば、僕たちはその爪の垢を煎じて飲まなければ。

2021.10.13

「Ｄａｐｐｉ」

選挙ともなれば政敵攻撃のために手段を選ばず、誹謗中傷の怪文書類なども飛び交うのは以前からあった政治の情景。とはいえ、これは影響力も被害の大きさも桁違いですから、まずは実態を解明し、場合によっては何らかの法規制が必要になってくるでしょう。「Ｄａｐｐｉ」というツイッターアカウントをめぐる疑惑のことです。

各メディアの報道から経緯を振り返っておけば、疑惑浮上の発端は野党議員による訴訟。16万人以上のフォロワーを持つ同アカウントが与党を賛美し、野党を罵倒する投稿を繰り返したばかりか、なかには完全なデマや歪曲情報が含まれていたため野党議員が名誉毀損だと訴え、裁判所も発信者情報の開示を命じたのです。

すると、投稿に使われたネット回線の契約者は個人でなく、東京都内のＩＴ関連企業と判明。信用調査会社などによると、その企業の取引先には自民党が含まれ、過去に同党議員の資金管理団体や党支部からサイト制作なども受注していたのだとか。ここから浮かぶ疑念は詳述の要もないでしょう。

つまり、与党の意を受けた――あるいは金銭によって発注を受けた企業が、まるで一個人かのように見せかけて与党を持ちあげ、野党を罵るプロパガンダを繰り広げていたのではないか。もちろん、それ自体は直ちに違法でもないし、自民党はネット応援団を組織していたことも知られていました。また元法相夫妻の公職選挙法違反事件をめぐる公判では、夫妻側が業者にネット工作を依頼していた実態も浮かび、対立候補へのネガティブキャンペーンを行っていたことも発覚しています。

加えて今回の一件。表向きは政権や与党と無関係な体を装いつつ、何らかの指示を受けて活動を行っていたなら、控えめに評しても相当に悪質なステルスマーケティング（宣伝であることを隠した宣伝）。そこに金銭が介在していたなら税金が使われた可能性も出てきます。しかも今回のアカウントは明らかなデマや歪曲情報も交えて野党を誹謗中傷していたのだから論外の所業でしょう。

ネットが大きな影響力を持つ時代、このようなことを黙過すれば、権力やカネを自在にできる者ほど世論を有利に操作できることになってしまいます。メディアが腰を据えて真相解明にあたるべき問題でしょう。

2021.10.20

暴言の跳梁

この為政者が暴言や妄言の類を吐くのはもはや毎度おなじみのこと。しかし、だからといって聞き流したり、うんざりしても批判や追及をあきらめたりするわけにはいかないのです。それは発言内容の是認につながりかねず、まして彼はつい先日まで9年近くも財務相と副総理を兼務し、新政権でも与党副総裁として政権運営に大きな影響力を持つ政権与党中枢の権力者。うんざりしつつも、ここは正面から批判を加えておくべきでしょう。

ただし、一部を切り取られたとか、だから誤解を招いたとか、そういった弁明を許さぬよう、紙幅の許す限り正確に発言を引用します。その彼——すなわち麻生太郎氏は10月25日、北海道の小樽市で与党候補の応援演説に立ち、次のような発言を口にしました。

「地球温暖化っていうと悪い話しか書いてありませんが、いいこともあります」

「いま北海道は、いろんな意味で暖かくなった。平均気温が2度上がったおかげで、北海道のお米はおいしくなった。むかし北海道のお米は〝厄介道米〟っていうくらい売れない米だった。いまはその北海道が、やたらうまい米をつくるようになった。農家のおかげですか。農協の力ですか。違います。温度が上がったからです」

「温暖化だっていうと悪い話じゃなく、良い方に向くものも、農産物に限らず、いろんなものが良くなりつつあるんじゃないの？」

いったいどの部分から批判すればいいのか、ひょっとしてすべては冗談のつもりなのか、それにしても笑えない冗談のレベルは常軌を逸していて、演説している彼の顔をまじまじと眺めれば、いつものようにゆがんだ笑みもなく、どうやら本気で言っているようにしか見えないのです。

とすれば、正気を疑うしかありません。世界でも日本でも自然災害が続発するなか、気候変動は人類の活動が原因だと国連の政府間パネルが初めて断定し、「人類への赤信号」だと警告を発した今年。その変動メカニズムを解明した学者にノーベル賞が贈られることが決まった今年。しかも農産物の品種改良や技術開発に苦労してきた人びとを侮蔑するような暴言。

そういえば先般、日本と同じく総選挙が実施されたドイツでは気候変動問題が大きな争点となり、環境保護を訴える政党が躍進を遂げました。対する僕たちの国では、「温暖化にもいいことが」などと言い放つ為政者がまたも高笑いする結果になるのでしょうか。

2021.10.27

自由の翼

11月8日付の毎日新聞夕刊1面トップに掲載された記事を読み、その趣旨とはかなり違う感慨を僕は覚えたのでした。見出しは〈共生選び「万羽鶴」 鹿児島・出水《いずみ》市、有数越冬地に〉。

未読の方のため簡単に内容を紹介すると、秋にシベリアなどから多数飛来するツルの群れが記事のテーマ。特に近年最大の越冬地となっているのが鹿児島県の出水市で、ピーク時は1万羽を超えるツルがやってくるのだとか。その理由や地元住民らの努力と苦労、そして自然保護や野生生物との共生などを訴える、なかなか読み応えのある秀作記事でした。ただ、僕は記事に添えられた地図に目を引かれたのです。地図には出水で越冬したツルが春にどんなルートで繁殖地のシベリアへ飛び、秋にどんなルートで戻ってくるか、環境省が２０１６～２０１７年に調査した結果が描かれていました。

それによると、３月29日の午前に出水を飛び立ったツルは、玄界灘を越えて韓国の上空から北朝鮮の上空へ――つまり朝鮮半島を南から北へ縦断し、中国の内陸部を中継地としつつ４月24日にシベリアへ到着。そこで約１２０日間の子育てに励み、８月20日になると再びシベリアを旅立って逆ルートで出水を目指すのだと。

つまりツルたちは、日本との関係が最悪状態に陥っている韓国も、極度に閉ざされた体制の北朝鮮も、あるいは中国もロシアも、その上空を自由に往来して生を紡いでいるのです。おそらくはその途次、韓国の田畑で餌をついばむこともあるでしょう。北朝鮮の水辺で羽を休めることもあるでしょう。当たり前の話ですが、ツルには国境も政治体制も無関係。

勘のいい方ならおわかりでしょう、ふと思い出したのは有名なこの歌の詞。〈イムジン河水清く　とうとうと流る　水鳥自由に　むらがり飛び交うよ／北の大地から　南の空へ　飛びゆく鳥よ　自由の使者よ　だれが祖国を　二つにわけてしまったの……〉

1968年に人気フォークグループが歌った「イムジン河」。こんな美しい詞とメロディーの歌すら、かつて「政治的配慮」とやらでお蔵入りとなり、放送禁止状態に置かれてきたのですから、人間とはつくづく愚かな存在だなと、ツルの方が思っているかもしれません。地上に勝手な境界を引いて互いにいがみ合って何の意味があるのかと、上空を雄々と自由に羽ばたきながら。

2021.11.10

この国の病

以前から沖縄の新聞にはできるだけ目を通すようにしてきました。それは本土に暮らしていると気づかない、しかしとても大切な記事がしばしば掲載されるから。かつて通信社の記者だったころは数日遅れで社に届く琉球新報と沖縄タイムスを待ち、以後は大型図書館で読んだりしていましたが、今はネットで読めるのですから、その点ではずいぶん手軽になったものです。11月16日の朝は琉球新報のこんな記事に驚かされました。

〈成田空港で陽性、そのまま那覇へ　コロナの米軍関係者、隔離されず〉。同様の記事は沖縄タイムスも掲載していて、簡単に要約すれば、成田空港から入国した米軍関係者の男性の新型コロナ陽性が判明したのは先月のこと。男性は本来、在沖縄米軍基地所属だというのに、横田基地所属だと申告して入国してしまったというのです。

一般人が陽性確認されればもちろん入国などできず、検疫所が用意した施設で隔離療養するのが決まり。ところが米軍関係者は日米地位協定に基づいて入国が可能で、陽性者は横田基地などで療養する運用になっているのだとか。

しかもこの男性、そのまま民間機で那覇に向かっていて、事実を把握した沖縄県は接触者の確認に追われる一方、厚生労働省などに再発防止を要請。検疫など水際のザル的対応も確かに問題ですが、根底には日米地位協定が横たわっているのも明白でしょう。

なのに、沖縄紙以外はほとんど報道なし。新聞データベースで調べると、報じているのは共同通信の配信を受けたいくつかの地方紙だけで、全国紙では毎日新聞が西部本社版に共同電を掲載したのみ。これでは大半の人に事実すら伝わりません。

そもそも今回の件、沖縄だけの問題ではないと思うのですが、沖縄に大半の米軍基地を押しつけ、その負の側面を不可視のものかのように振る舞うのは昔から変わらぬこの国の病。だから僕は沖縄の新聞を読み、せめてそれに気づけるようにしよう、と心がけてはいるのですが。

その沖縄が来年、本土復帰から50年という大きな節目を迎えます。そのうえ1月には米軍基地建設が進む名護市の市長選が、9月には県知事選まで実施されるのです。折に触れて必死の叫びをあげてきた沖縄とどう向き合うか、節目の年に本性が問われるのは、むしろ本土の僕たちです。

2021.11.17

劣情の気配

米国で先日開かれた日米韓の外務次官協議。その終了後に予定されていた共同記者会見が突如中止となり、理由を知った僕は強烈な虚脱感に襲われました。協議直前に韓国警察庁長官が竹島（韓国名・独島）を訪問したことに反発し、日本が共同会見を拒んだというのです。

なぜ、これほどまでに冷静な大局観が失われてしまったのか。韓国側の態度にも問題はあれ、日韓がいがみあいを続けていて得なことなどなく、最悪状態に陥った両国関係を立て直さねばならぬのに、子どもじみた鞘《さや》当てを続ける現状に僕は激しくいら立ちます。

たしかに日韓の〝接着力〟は、冷戦体制の終焉や中国の経済発展などによってかつてより弱まりました。ただ、それでも日韓は切っても切れぬ隣国であり、両国にとってお互いは米中に次ぐ第3位の貿易相手。相互の人流も広く太く、コロナ禍で停止状態にあるものの、日本へのインバウンド旅行客なども韓国はトップクラス。

まして日韓は民主的政治体制を同じくする隣国同士であり、軍事的にも膨張する中国とどう向き合うか、核やミサイル開発に突き進む北朝鮮とどう対峙するか、中長期の対処が必要な外交・安保上の課題を数々共有しています。

さらにいえば、日本側が重要課題と位置づける拉致問題を前進させるためにも日韓関係は死活的に重要です。振り返ってみれば２００２年に日朝首脳会談が行われ、一部とはいえ拉致被害者の帰国が実現したのも、その２年前に故・金大中韓国大統領が南北首脳会談を成し遂げ、日朝の改善を後押ししたことも大きく作用したのです。

そう考えれば、互いに多少の不満や歴史認識の齟齬はあっても、なんとか乗り越えるために知恵を絞るのがごく常識的な大人の態度であり、まさに大局観というべきもの。

繰り返しますが、韓国側の態度にも問題はあります。でも僕は、政治やメディアが煽《あお》って拡散した日本側の〝嫌韓〟風潮の方が気になります。背後には日本の経済的、外交的影響力の低下などがあり、余裕を失った憂さ晴らしにも似た劣情の気配が明らかに漂っているからです。

それを振り切って関係改善を目指すのはしんどい作業ですが、薄っぺらな感情論でいさかいを繰り返している場合ではないのです。冒頭の共同会見中止に話を戻せば、このようなことをしていったい誰が喜ぶのか、もう少し冷静に物事を考えるべきでしょう。

2021.11.24

亡国の兆し

沖縄県名護市辺野古の米軍基地建設をめぐり、玉城デニー知事は先日、防衛省が申請した設計変更を不承認としました。一方の防衛省はまたも行政不服審査制度を持ち出し、県の決定を取り消すよう国土交通相に請求する方針とか。

この問題については、そもそも辺野古の新基地に完成実現性などあるのか等々、語るべき論点は多数あるのですが、今回は、再び行政不服審査制度を悪用して沖縄の決定をねじ伏せようとする政府の態度について考えてみたいと思います。

結論からいえば、このような振る舞いに出る政府の信用は地に落ち、と同時に、このような政府の下では人権の保護や法の支配といった民主社会の原則が根腐れし、人心は果てしなく荒廃するでしょう。理由を以下に記します。

行政不服審査制度とは、行政によって不利益を受けた市民の権利救済のために存在し、行政不服審査法は第1条でその目的をこううたっています。

〈この法律は、行政庁の違法又は不当な処分その他公権力の行使に当たる行為に関し、（略）国民の権利利益の救済を図るとともに、行政の適正な運営を確保することを目的とする〉

言うまでもなく行政権力は強大であり、個々人がそれと対峙した際の力の差は圧倒的です。だからその不当な権力行使に苦しむ人びとを速やかに救済するのが法と制度の本旨。なのに、当の政府が2015年にもこれを悪用し、いち自治体である沖縄の不承認手続きを覆したのです。しかも同じ政府内で申請し、裁決を下す茶番によって。

こんな横暴が繰り返され、今回もまかり通るなら、政府はあらゆる法の趣旨を曲解し、自己都合で悪用するのだと人びとは確信するでしょう。差別を禁ずる法を作っても、それは政府批判の抑え込みに使われるし、国家の安全や秘密を保護する法だと言われても、どうせ政府に不都合な情報を隠すためだと、そう思われて至極当然。

そして人びとには虚無や諦観がはびこります。政府に逆らっても無駄だ、抵抗や異議の申し立てなどはもちろん、問題提起もあきらめ、損だけはせぬようおとなしくしていた方が得策だ、と。

結果、政治や社会から活力が奪われ、停滞し、各種の人権や多様性の尊重といった価値を守る動きも進展せず、むしろ後退する。ひょっとしてその兆候は、すでにそこかしこに表れているのではありませんか。

2021.12.1

野蛮な不寛容

　誤解を恐れずに記せば、差別や排外主義には強烈な魔力のようなものがあります。特定の集団や人種にレッテルを貼って罵声を浴びせたり攻撃したり、そうして不満のはけ口を外に求めて溜飲も下げ、自らの所属集団内では称賛を浴び、それがまた快感を呼ぶ悪循環。この魔力を古くから政治も悪用してきました。

　普通の人びとは戦争など望まないが、それを起こすのは簡単だ、と言い放ったのはナチス・ドイツのヘルマン・ゲーリング。我々は攻撃を受けていると告げ、平和主義者は非国民だと糾弾する、それだけでいい、このやり方はどこでも通用するのだ、と。

　こうした排外主義を「野蛮な不寛容」と評し、「思考なき純粋な獣性」と捉えたのはイタリアの哲学者ウンベルト・エーコでした。残念ながらそれは人間の本性に近いものだから、「継続的な教育」を通じて「徹底的に打ちのめしておくべきなのだ」と。

　でなければ、取り返しがつかぬことになるとエーコは警鐘を鳴らしたのです。「知識人たちには野蛮な不寛容を倒せない。思考なき純粋な獣性をまえにしたとき、思考は無力だ」（『永遠のファシズム』和田忠彦訳、岩波書店）

人間という存在がそこまで根本的に愚かで悪辣か、人によって考えはさまざまでしょう。ただ、排外主義がひどく厄介な代物であり、一度燃え広がると容易には消せず、エスカレートすると手がつけられなくなるのは間違いありません。逆にいうなら、だから広義の「知識人」は——特に政治やメディアの仕事に関わる者たちは、それを決してあおらぬよう注意を払わねばならないのです。

しかし——。最近起きたこの事件を僕たちはどう捉えるべきでしょうか。在日コリアンが多く暮らす京都府宇治市のウトロ地区で空き家などが全焼する火事があり、府警宇治署は12月6日、奈良県の男（22）を非現住建造物等放火容疑で逮捕。男は10月にも名古屋市で在日コリアン団体の施設に火をつけ、逮捕されていたとか。

容疑段階で軽々に断定はできませんが、嫌な予感がします。時の政権と一部メディアなどが隣国やマイノリティーへの敵愾心を盛んにあおり、ヘイト本やヘイトスピーチなどの形で燃え広がったそれが、重大な一線を越えはじめたのではないか。まずは深く広い取材をメディアに望みます。

2021.12.8

教誨師の抗議

法務省は12月21日、確定死刑囚3人の死刑を執行しました。昨年は執行がなく、おそらくこれは検察トップ人事への政治介入問題や検察庁法改定案への反発で法務・検察が揺れに揺れていたことなどによるものでしょう。今回の執行は約2年ぶりとなります。

死刑制度は廃止が圧倒的な国際潮流になっていることは本コラムで記してきましたが、近年の状況を振り返ると、日本でも1990年から約3年強にわたる死刑の無執行期間がありました。1980年代に死刑確定事件で冤罪《えんざい》が4件も相次いで発覚し、国際潮流を受けて国内でも死刑廃止運動が広がっていたことも作用したのですが、1993年に執行が再開されると以後、法務省は毎年執行に固執してきました。

例外は2011年。この年は当時の民主党政権下で死刑制度に懐疑的な江田五月氏や平岡秀夫氏が法相に就いていたことなどもあったのですが、年の瀬も押し迫った今回の執行からは死刑をモラトリアム状態には断じてしない、という法務省の強固な意思もうかがえます。

年末の執行と毎年執行への固執といえば、ひどく陰鬱な取材の記憶が僕にはあります。2006年の12月25日に執行された当時75歳の老死刑囚。薬物に溺れて前妻の親族2人を殺《あや》めた罪は決して許されぬものでしたが、獄中で自らの罪を深く悔い、支援者らにも支えられて熱心なクリスチャンになっていました。

教誨《きょうかい》師として彼に接していた牧師らによると、独房でも毎日熱心に聖書を読み、被害者への謝罪の言葉ばかり口にしていたとか。しかも高齢と病で足腰が極度に弱り、車椅子なしでは移動さえできない体になってもいたと。

そんな彼を、信仰を唯一の心の支えにしていた老囚の死刑を法務省は、クリスチャンにとっては最も聖なる日たるクリスマスに執行したのです。自ら立ちあがることもできない彼は両脇を抱えられて絞縄につるされ、そんな死刑の執行後、立ち会った教誨師はこう抗議したそうです。「あなたがたは信仰を愚弄しているのか。75歳の老人をなぜこのような仕方で殺すのか。これは国家の罪ではないのか」と。

実はこの2006年も法務省は各種の政治的事情でそれまで死刑を執行できず、だからクリスマスに執行を強行し、欧米メディアからは辛辣な批判を浴びました。世界の人権潮流に背を向け、死刑に断固固執する、今年もそうして暮れていきます。

2021.12.22

北の民と「抑止力」

年末年始は厳しい冷えこみが続きました。街を歩いて目に映るのは、分厚いコートやマフラーで完全防備して行き交う人びとの姿。そんな季節になると、僕はふと北朝鮮で見た情景を思い出すのです。

南北の首脳が初めて直接対面し、続いて日朝の首脳会談も実現した2000年代の初頭、僕は取材で繰り返し北朝鮮に入りました。当時の金正日政権は、いわゆる改革開放を目指していたかどうかはともかく、相当真剣に対外関係の改善を模索していたのでしょう。

だから僕たちの取材もしばしば許され、もちろん他の季節にも訪ねたのですが、思い出すのは真冬の首都・平壌。取材の移動時に車窓から見えたのは、車道脇の歩道を、あるいは巨大な像が立つ広場周辺を、つまりは厳寒の首都の街を、黙々と歩く人びとの波――。

職場などに向かっているのか、何か用事でもあるのか、自由な取材は不可能だから直接聞くこともできませんでしたが、暗い色の防寒着に身を包んでひたすら目的地を目指す人びとの姿はひどく印象的で、いまも時おり思い出されるのです。

それでもホテルや食堂で隣りあった人びととはたわいもない会話を交わし、時には数杯の酒を注ぎ注がれ、自由や豊かさとは縁遠くとも、僕たちと同じく懸命に生きる市井の民の吐息を辛うじて感じることはできたのでした。

その北朝鮮が核やミサイル開発に突き進んでいるのは周知の通りです。加えて中国の大国化などを受け、僕たちの国でも「敵基地攻撃能力」の保有論が語られ、防衛費は増え、「核の傘」を依存している米国への配慮か、核兵器禁止条約には断固背を向ける現状。

そういえば先日、ベテランの外交官に教えられました。「抑止論」というと僕たちはすぐに「核抑止」を想起するけれど、「抑止論」とは本来もっと幅広く多様な概念なのだ、と。たとえば経済。たとえば人の往来。経済的な相互依存や人びとの交流が深まれば、互いを攻撃することへの閾値《いきち》も高まり、それもまた大切な「抑止力」なのだ、と。

そう考えると、経済関係も人的交流もほとんどない日朝は危うい状態といえます。政府が重視する拉致問題にしたって、対話や交流がなければ交渉の糸口さえつかめないのです。今年は3月に韓国で大統領選があり、朝鮮半島が動きます。せめて対話の芽ぐらいは見いだせる年になるといいのですが。

2022.1.5

最低限の矜持

ネットの隆盛に押され、旧来型メディアの新聞やテレビ等の影響力は低下し、存立基盤すら揺らいでいる——というのは、いまさら僕が指摘するまでもない現下のメディア状況。僕たちはグーテンベルク以来とも称される激変期に立ちあっているわけですが、そんなさなか、ほぼ時を同じくして旧来型メディアの代表格たる大新聞と新興ネットメディアをめぐるニュースが世を騒がせています。

まずは読売新聞の大阪本社が昨年末、大阪府と「包括連携協定」なるものを結び、「情報発信」や「産業振興」など8分野で連携していくというニュース。これにはメディアの原理原則を踏み外すものだと批判が噴出し、ネットではジャーナリスト有志がすでに数万もの抗議署名を集めています。

今年に入ってはネットメディア「Choose Life Project（CLP）」が立憲民主党から約1500万円もの金銭支援を受けていたことが発覚。CLPは民放テレビで報道に携わっていた者たちが旧来メディアの「限界」を感じて立ちあげたものの、一部出演者からの「抗議書」を受けて初めてこの事実を認め、責任者は辞意を表明しました。

いずれも耳を疑うようなニュースです。メディアやジャーナリズムの原則は、あらゆる権力や権威から可能な限り独立を保つこと。日本新聞協会の倫理綱領もこううたっています。〈新聞は公正な言論のために独立を確保する。あらゆる勢力からの干渉を排するとともに、利用されないよう自戒しなければならない〉

それでは読売はどうか。新聞が監視すべき公権力と「連携協定」を結び、果たしてその任を果たせるのか。読売側は「取材や報道に影響を及ぼすことはない」としていますが、影響を受けていると思われぬよう常に「自戒」するのが綱領がうたう原則でしょう。

後者のＣＬＰはさらにあぜんとする話で、特定の政党から金銭を支援され、それを公表すらしないのはまさに論外の所業。「与党と一部メディアはもっと悪質」とか「リベラルメディアを潰すな」といった声もあるようですが、メディアとジャーナリズムは政治運動の道具や尖兵ではないのです。守るべき最低限の矜持があり、先に引用した新聞協会の綱領はそのひとつ。もっとも、旧来型も新興側も、その原則すら怪しいのが二つのニュースで浮かび上がった薄ら寒い現状なわけですが。

2022.1.12

精神の退廃

デモや集会に参加すれば金銭がもらえるとか、参加している人びとは金銭で動員されているとか、各種の一般的な市民運動でそのようなことがありえないのは、はっきり言って社会常識の範疇《はんちゅう》に属する事柄でしょう。ましてそれなりの取材経験を積んだメディア関係者ならなおのこと。

なのに世の中にはそうは考えないし考えられない、要は常識の欠如した人びともいるようです。東京オリンピックの「公式記録映画」を製作中だという映画監督に密着した番組で、字幕に「不確かな内容」があったとNHKが謝罪した一件。問題の字幕は「五輪反対デモに参加しているという男性」が「お金をもらって動員されていると打ち明けた」というものでした。

すぐに思い出すのは数年前に東京のテレビ局が放送した「ニュース女子」なる番組。沖縄で米軍基地建設に反対する人びとをあしざまに罵り、嘲笑し、ろくな取材もしないまま彼ら彼女らに「日当」が支払われていると疑った番組は、裏づけ取材などが不十分で「重大な放送倫理違反があった」と放送倫理・番組向上機構（BPO）に厳しく指弾されました。

なぜこれほど常識外のデマをメディアが繰り返し発信してしまうのか。想像するに、人間はカネや利害損得でしか動かないといった陳腐で貧困な偏見に凝り固まっているか、あるいは現実にそうした人びとばかりに囲まれているうち偏見に毒されてしまうのか。

　そういえば先の衆院選で与党幹部が街頭演説した際、聴衆の一部に５０００円の日当が支払われていたことが発覚しました。これぞまさに金銭での動員。与党には過去に「最後は金目でしょ」と言い放った幹部もいましたが、与党に限らずとも、さまざまな利害を背景に組織が動員する集会などがあるのも事実でしょう。

　しかし、金銭や利害損得とは別の次元で動く人びとも世の中にはいて、それが政治や社会を少しずつでも進歩させてきたのです。そのことへの想像力も洞察力もなく、誰もが金銭や利害で動くと考えているなら、これは常識の欠如に加え、すさまじいまでの精神の退廃。そうではなく意図的に、または十分な取材もせずデマを流し、民主的な意思表示を貶《おとし》めたなら論外の所業。いずれにせよ自らの卑しさを告白しているに等しく、単に訂正と謝罪で済む問題ではなさそうです。

2022.1.19

切ない民意

沖縄・名護市長選が1月23日に投開票され、政権与党の推薦した現職が当選しました。言うまでもなく名護は米軍基地建設が進む辺野古を抱えていますが、現職は賛否を一切語らず、これに建設反対を明確に掲げた野党推薦候補が挑む――という構図。結果として現職は当選しましたが、これを基地建設への「地元同意」と捉えるのは、いくらなんでも傲慢な論理でしょう。

いまなお本土との各種格差が指摘される沖縄でも、名護のある北部は経済的に一層厳しい地域。今回再選した現職は任期中、子どもの医療費や給食費などを無償化し、選挙戦でも成果として訴えました。

その主な財源は国からの米軍再編交付金。現職の前の市長は基地建設反対を掲げて交付が凍結されたものの、4年前に現職が当選した途端に国は交付を再開し、子育て支援に充当されたのです。

それ自体、子育てに奔走する市民を支える意義ある政策なのを否定はしません。ただ、一方で全体の構図を見れば、これは国による露骨なアメとムチ。

本コラムで以前書きましたが、思い出すのはかつて名護で長期取材した際のこと。基地建設

「容認派」とされる有力者を訪ね歩くうち、ある市議が憤然とこう言ったのです。「ここに『容認派』なんて一人もいない。ただ、いくら反対しても国は強引に造る。ならば反対闘争より条件闘争で取れるものを取った方がマシだ」と。

今回の市長選も結果を子細に分析すると、現職への投票層が重視したのは「経済・雇用」や「子育て・教育」。対する野党推薦候補の投票層は「基地問題」。その総数で前者が後者を上回り、あの「容認派」市議の言葉も併せ考えれば、垣間見えるのはとても切実な、しかしどこか切ない「民意」。アメとムチを放埒《ほうらつ》に行使して国策を強いる構図は、かつての原発建設などとも相似形です。

その原発は人類史でも最悪級の惨事を起こして地元は壊滅的被害を受け、国中も恐怖と混乱に陥りました。では辺野古の基地はどうか。建設を強行しても海の底には深々とした軟弱地盤が広がり、行き着く果ては兆単位の国費を海に捨てる蕩尽《とうじん》ではないのか。

まして今年は沖縄の本土復帰50年という節目の年。秋には知事選も控える沖縄に、完成のあてもなき国策で「切ない民意」を強いているのは誰か。僕たちは己の手を真摯に見つめるべき1年です。

2022.1.26

嘲笑の果てに

ロシア軍のウクライナ侵攻という事態を受け、永田町かいわいではまたぞろ乱暴な言辞が飛び交っています。典型は与党内で勢いづく「敵基地攻撃能力」の保有論。そして「一強」政権を率いた元首相は「核共有」論にまで言及したとか。

米国の核兵器を日本に配備し、共同運用するのが「核共有」ですが、そもそものようなことが現実に可能かはともかく、根本的な部分で指摘しておきたい事柄がいくつかあります。

言うまでもなく今般のロシアの行為はあからさまな侵略です。仮にどのような理由があれ、他国に武力侵攻して政権転覆を謀《はか》るのは、近代の世界がかろうじて積みあげてきた大原則を破壊する蛮行。本紙には先日、まるで「中世」のようだと嘆くモスクワ市民の声が載っていました。同感です。

こうした蛮行を受けて「力の信奉」へと一挙に傾いてしまうのは、まさに「力には力」という「中世」の価値観に戻るに等しく、その意味でロシア大統領と同類の発想。皮肉も込めて言えば、その大統領と30回近くもの会談を重ね、「ウラジーミル、君と僕は同じ未来を見ている」「2人で駆けて駆け、駆け抜けよう」と呼びかけ、親密さを盛んにアピールしていたのは一体誰だったか。

そうして北方領土問題を進展させるのだと豪語し、譲歩を重ねて数千億円の経済協力を施し、しかし冷たく袖にされたのが元首相。しかも自ら喧伝《けんでん》した親密さを梃子に紛争回避に努力する気もなく、説得するそぶりすら見せなかった元首相がいまになって突如「核共有」などと勇ましく口走る厚顔。ひょっとして元首相は、本気で「ウラジーミル」と「同じ未来を見て」いるのか。

大阪で維新の会を立ちあげた元府知事もまた無残です。彼は今回の事態を受けてSNSにこう書きました。「国内でウクライナの国旗を掲げて集まってもクソの役にも立たない」と。なんと貧しく愚かしい発想か。

現に見てください。ベルリンで、ロンドンで、パリで、そしてロシア各地で数千、数万の人びとが街頭に立ち、あるいはネット上で必死に声を発する姿を。こうした真摯な声が積みあがり、各国政府を突き動かし、世界はわずかずつでも進歩を重ねてきたのです。だからこそ専制主義的な為政者は真摯な声を恐れるのです。

再び皮肉を言いたくなります。真摯な声を嘲笑し、冷酷に切り捨ててきたことが、大阪でコロナ禍の死者が突出する遠因になったのではありませんか、と。

2022.3.2

独善的な理屈

韓国で今日、大統領選の投開票が行われています。本紙もソウル電などで伝えているように、進歩系与党の李在明《イジエミヨン》氏と保守系野党の尹錫悦《ユンソンニヨル》氏が事実上の一騎打ちでぶつかる構図。情勢は選挙戦最終盤まで激しく動き、中道系野党候補として一定の支持を得ていた安哲秀《アンチヨルス》氏が野党候補一本化に応じ、尹氏がやや優位では、というのが大方の下馬評です。

ただ、安氏の支持層がすべて尹氏に流れるかは不透明。また、保守系の尹氏が政権に就いた方が日韓関係に有利では、という指摘が日本メディアで唱えられていますが、果たしてそうか。

元検事の尹氏は政治経験がゼロ。外交姿勢は白紙状態とみるべきで、対日外交がどうなるか見通せません。それに尹氏が当選しても国会の勢力は現在の進歩系与党が多数。最近の日本側の歴史認識への韓国世論も冷淡ですから、どちらが当選しても日韓関係は当面厳しい局面は続くとみるのが妥当でしょう。

しかし、日韓関係が現在のままでいいはずがありません。ここは双方が頭を冷やし、何が現実的で双方に利益になるのかを真剣に考え、互いに譲歩も視野に入れつつ、確固たる政治意思で関係改善を図るべきです。

考えてみてください。ロシアによるウクライナ侵攻が続き、国際政治の力学は流動化しています。東アジアでは北朝鮮の核・ミサイル開発が止まらず、中国の脅威に各国が身構え、しかし同時に日韓とも中国とは経済的に深く結びついています。一方では日韓ともに米国との関係を安全保障の基軸としていますが、米国の国際的な位相は明らかに低下し、再びトランプ的な政権が生まれる恐れも拭《ぬぐ》えません。

そんな不安定な環境下、民主主義的価値を共有する数少ない隣国同士がいがみあっている場合か。日本側について言えば、「核共有」とか「敵基地攻撃」などという勇ましい非現実論を吠《ほ》え、「歴史戦」とか「国の誇り」などという独善的な理屈を振り回し、周辺国と軒並み角を突き合わせていて何の利益があるのか。むしろ日韓は協力して不安定な情勢に対処するのが、どう考えても現実的で合理的な道。

繰り返しになりますが、韓国大統領選はどちらが勝っても両国関係は急転しないでしょう。それを乗り越えるのは、確固たる政治意思に基づく関係改善に向けた両国の政治努力以外にないのです。

2022.3.9

防波堤

ウクライナ侵攻を続けるロシアの政権は、これに抗議する数千もの市民を拘束し、「虚偽情報」を流すメディアには重罰を科すと脅し、自国軍が爆撃したウクライナの小児病院は「過激派の基地」だったと主張中。一方で中国の国営テレビは、パラリンピック開会式のスピーチで平和の重要性を訴えた部分を翻訳せず、閉会式では「大切なのは平和への希望」と述べたのを「大切なのは大きな家族となる希望」と〝意訳〟したとか。

出るのはため息ばかりですが、しかし、どのような体制の国でも為政者は常に人びとの思考を、概念を、そして言葉を支配したがるもの。それが専制的、権威主義的、あるいは独裁的な政権であるほど顕著となるのは古今東西、政治体制の左右などを問わぬ歴史の教訓。あらためて記すまでもなく、僕たちの国もわずか80年前に同じ轍《てつ》を激しく踏みました。

しかも厄介なことに、人びとはしばしば専制的、権威主義的な政治に引かれてしまうもの。普通人びとは戦争を望まないが、それを起こすのは簡単だ、我々は攻撃されていると告げ、平和主義者は非国民だと糾弾するだけでいい、このやり方はどこでも通用する――と言い放ったナチス高官の言を引くまでもなく、為政者が盛んに危機や敵意をあおる時ほどその顔に疑心の目を注がなければ。

逆に言えば、為政者らの妙に勇ましい扇動に踊らず、あらがい、冷静な思考と概念を提示するメディアと言論の存在こそが専制や権威主義、独裁の増長を阻む防波堤。

では、現在の僕たちはどうか。昨今の政治に目立つ為政者たちの顔を思い浮かべれば、どこその大統領にも通底する修正主義的な歴史観を振りかざし、攻撃的で排外的な言辞を盛んにまき散らし、なのにその勢いに気圧《けお》されてメディアには萎縮が広がり、政府や治安機関の権限を拡大する法も次々整えられ、報道の自由度はジリジリと後退中。

そう、決して対岸の火事ではないのです。同じ人間なのですから、かの地で起きることは、この地でも起きる。実際にかつては起きた。折しも本紙は今年創刊150年。お祝いの言葉を贈りつつ、過去に過ちを犯し、戦後はその反省に立って紙齢を重ねてきたはずの新聞はいま、確かな防波堤たりえているか。その紙面を借りて本コラムを紡ぐ僕も例外ではありません。常に真摯な省察だけは忘れぬように。

2022.3.16

国家警察の復活

僕は少々いらだっています。ロシアによるウクライナ侵攻とか、なかなか減らない新型コロナウイルスの感染状況とか、注目すべきニュースが数多いのは事実にせよ、重要テーマをめぐる議論がここまで低調でいいのか。2月9日付の本コラムで僕が問題提起した警察法改正案のことです。

今国会に提出されている改正案の中身をあらためて簡単に解説すれば、国の機関である警察庁に「サイバー警察局」を新設し、直轄の「サイバー特別捜査隊」も新設するというのが柱。これは戦後警察システムの一大転換です。

というのも、戦後日本の警察は各地の都道府県警が直接の捜査を担い、警察庁はその指揮や調整の役割にとどめられてきました。極度に中央集権的だった国家警察が軍部ファッショの尖兵となってしまった戦前戦中の反省に基づくものですが、今回の改正案が成立すれば警察庁が初めて自ら捜査権を持つことになります。

これほどの転換にメディアもほとんど反応せず、国会の議論も極度に低調。すでに改正案は衆院を通過し、委員会審議はわずかに3時間半。いくつかのメディアが散発的に報じているものの、記事はあまりに小さく少なく、本紙は僕の言及以後は関連記事が一行もなし。国会審議を担当する政治部も、警察を取材する多数の記者も、いったいなぜこれほどに鈍感なのか。

もちろんサイバー犯罪は増加、複雑化しており、対処が必要なことは否定しないと僕も書きました。ただ、国家警察の復活につながりかねない転換であるうえ、強大な権限を持つ警察は最近も各地で数々の問題や冤罪事件を引き起こしているのです。

大阪ではつい先日、大阪府警による冤罪事件をめぐって府に約1200万円の賠償を命ずる判決が言い渡されました。岐阜県でも先月、県警の不正な情報収集活動をめぐり、被害者の住民に損害賠償を命ずる判決が出ています。

東京でも警視庁公安部のむちゃな捜査が化学機械メーカーに襲いかかり、これも国家賠償請求訴訟が起こされていることを本コラムで紹介したばかり。仮に警察法改正が必要なのだとしても、警察を適切に管理する公安委員会制度の充実などが同時に必要ではないか――先日そう書いた僕の問題提起を、意識希薄な国会と各メディアに向け、再度発しておきたいと思います。

2022.3.23

メディア人の言葉

「NO WAR プロパガンダを信じないで」。生放送中にそう書いた紙を掲げたロシア国営テレビの女性編集者は、欧米メディアの取材にこう語ったそうです。「この行動で家族の生活を壊してしまった」。でも「黙っていられなかった」「戦争を終わらせないといけない」

同じ国営テレビのパリ特派員だった女性も辞職して記者会見に応じ、ロシアメディアで働く多くの人びとが「反対意見を持っていても、高齢の親や養う子どもがいるなどして、とらわれている」と明かしつつ、人びとにこう訴えたそうです。「政府のプロパガンダを信じる操り人形にならないで」

そのロシアで数少ない独立メディアとして気を吐いていたリベラル紙『ノーバヤ・ガゼータ』もとうとう発行の一時停止に。昨年末、ノーベル平和賞が贈られた同紙編集長が受賞演説でこう語っていたのは、いまから考えると極めて予見的でした。「ロシアのジャーナリズムは暗い谷を通っている」「正気でない地政学者の頭の中では、ロシアとウクライナの戦争があり得ないことではなくなった」

しかし編集長は、こうも強調していたのです。「私たちはジャーナリストであり、その使命は明確だ。事実とフィクションを見分けること」「この賞はあらゆる真のジャーナリズムに与えられたものだ」

一方のウクライナ。ロシア軍に包囲され、凄惨な攻撃を受けた南東部の都市マリウポリに残っていたAP通信のウクライナ人記者は、最後のマリウポリ電となった渾身《こんしん》のルポにこう書いています。「街から発信される情報がなく、破壊されたビルや死んでいく子どもの写真がなければ、ロシア軍はやりたい放題になる。私たちがいなければ、何もなかったことにできる」

そしてこう記すのです。「私は、沈黙を破ることがこれほど重要だと感じたことがない」

当たり前の話ですが、メディア人もしょせんは一人の人間であり生活者。それでもギリギリの抵抗をどう続けるか。極限の状況下でも事実をどう伝え続けるか。両国メディア人の言葉と行動のなかに、たとえ立場や活動場所が違えども、メディアとジャーナリズムの存在意義と原則が凝縮されています。

2022.3.30

両刃の剣

数日前の本紙朝刊に興味深いコラムが載っていました。ロシアによるウクライナ侵攻は各国の情報機関などによる「情報戦」の様相も呈していると記すコラムは、警察庁長官や官房長官などを歴任した故・後藤田正晴氏の言葉――「偵察衛星その他全部日本独自のものをもって、きちんとやった方がいい」「弱い国は情報がなければならんのだから。謀略さえやらなければいいんだ」を引き、続けてこう書いています。

〈その後、日本独自の技術による情報収集衛星の導入が進み〉〈情報収集体制は充実したが、まだ足りない。日本を守り、世界に平和を築くため、情報力を強化しなければならない〉

なるほど、と思うところもあります。ただ、「情報戦」なるものを担う情報機関などの本質的な危険性についての洞察が決定的に不足しているようにも思うのです。

ご存じの通り戦後日本は、大規模な情報機関を持たずにきました。これもまた軍部の関連機関などが暴走した戦前戦中の反省によるものでしょう。他方で多くの国は情報機関を有していますが、たとえば米国のＣＩＡは誤情報で戦争を引き起こしたり、時に謀略で他国政権を転覆させてきたのは周知の事実。同じ米国のＮＳＡは近年、内外で無軌道な盗聴活動を展開し、世界をあぜんとさせました。

専制的、独裁的国家になるとその悪弊は一層顕著で、お隣の韓国ではかつてＫＣＩＡが軍事独裁の尖兵として民主化運動を猛弾圧し、現在の中国や北朝鮮はいうに及ばず、ロシアのプーチン大統領も旧ソ連の情報・治安機関ＫＧＢの出身で、政権幹部はその側近によって固められているとか。

つまり情報機関なるものは往々にして機密のベールの向こう側で肥大化し、民主的コントロールを失うと暴走し、「国を守る」と称して民を弾圧し、「平和を築く」どころか戦争をはじめる厄介な代物。これは古今東西、政治体制の左右を問わぬ歴史の教訓です。

ちなみに後藤田氏は生前、朝日新聞の取材でも「情報機関の必要性」に触れ、こんな一言をつけくわえていたのです。「僕は日本という国を運営するうえで必要な各国の総合的な情報をとる『長い耳』が必要だと思う。ただ、これはうっかりすると両刃の剣になる。いまの政府、政治でコントロールできるかとなると、そこは僕も迷うんだけどね」

2022.4.6

それが仕事か

4月7日付の朝日新聞朝刊にあぜんとするような記事が載りました。外交などを専門とする編集委員だった同紙のベテラン記者が「報道倫理に反し、極めて不適切」な行為を犯したため懲戒処分にした、というのです。

記事によるとこの記者は、「核共有」発言をめぐって安倍晋三元首相にインタビューした経済誌の編集者に電話し、「私が顧問を引き受けている」「ゲラを見せてください」「ゴーサインは私が決める」などと語ったとか。編集者は拒否したそうですが、事実なら記者が政治家の〝代理人〟のように振る舞って他メディアの報道や編集に介入する言語道断の行為であり、メディアやジャーナリズムの基本原則から逸脱した論外の所業。

これに対して当該の記者は「不公正な処分」だと反論する一文をネットにアップしたのですが、これがまたあぜんとするような中身。処分対象となった事実関係については朝日側の指摘をほぼ追認しつつ、自身は「SNS上でも『朝日新聞の良心』と言われる」のだと妙な自賛を交え、安倍氏との関係をこんなふうに堂々と〝告白〟しているのです。

〈私は、中国問題をはじめとした安全保障分野の知見があることから、かねがね政府高官らか

ら相談を受けることがあり、安倍氏にも外交・安全保障について議員会館で定期的にレクチャーをさせていただいていました〉

これまた自慢のつもりかどうか知りませんが、果たしてそれが記者の仕事ですか、と問いただしたいところ。しかも、他メディアの編集者に「ゲラを見せろ」などと語った振る舞いを次のように正当化しているのです。

〈私はひとりのジャーナリストとして、また、ひとりの日本人として、国論を二分するニュークリアシェアリング（引用注・核共有のこと）について、とんでもない記事が出てしまっては、国民に対する重大な誤報となりますし、国際的にも日本の信用が失墜しかねないことを非常に危惧しました。また、ジャーナリストにとって誤報を防ぐことが最も重要なことであり、今、現実に誤報を食い止めることができるのは自分しかいない、という使命感も感じました〉

失礼ながら、一言だけ忠告させていただきます。他メディアの誤報を心配する前に、ご自身の誤報を心配された方がよろしいのでは、と。

2022.4.13

真摯な素顔

18歳と19歳を「特定少年」と位置づけて犯罪関連の実名報道を是とする改正少年法が施行され、山梨の夫妻殺害事件で起訴された19歳被告の実名を報じるか否か、各メディアの対応が分かれました。悩ましいところですが、思い出すのは僕の取材経験のこと。

あれはもう10年以上前、死刑制度をめぐるルポ集『絞首刑』の取材をしていた僕は、19歳と18歳当時に凄惨なリンチ事件を起こして計4人をあやめてしまった元少年3人に出会いました。まだ公判中だった3人は拘置所に収監されていて、僕は3人と面会を繰り返し、被害者遺族らにも話を聞き、悩んだ末に3人を仮名として雑誌にルポを発表しました。メディア報道を法でしばることへの疑問はあれ、少年の更生可能性などを重んじる少年法の理念は理解できたからです。

しかし最高裁が間もなく上告を退け、3人の死刑判決は確定することになりました。しかも同一事件で複数の元少年の死刑が確定するのは戦後初のこと。再び悩んだ僕は、1人の元少年と最後に面会した際、その様子を写真に撮り、実名も記したルポを雑誌に寄稿しました。

断っておきますが、面会時の写真撮影を禁ずる法など存在しません。ただ、内規でそれを制限している法務省・拘置所は〝隠し撮り〟だと猛り、抗議文を送りつけてきました。一部メディアからも批判がありました。

ただ、考えてみてください。死刑制度を肯定するにせよ否定するにせよ、国家が強制的に命を奪う死刑は究極の権力行使であり、その対象が匿名のままでいいのか。また3人の死刑が確定するのは、国家が彼らに「更生可能性などない」と断じたことも意味します。

でも、僕にはそう思えませんでした。取り返しのつかぬ罪を犯したとはいえ、僕が写真と実名を報じた彼は拘置所内で自省を深め、内職でためたわずかな金を被害者遺族に送り、常に後悔と謝罪の言葉を連ねていました。

端的にいえば僕は、彼の姿勢に打たれたのです。彼を匿名の元少年ではなく、その真摯な素顔と思いをきちんと伝えたかったのです。これが正解だったかどうかわかりませんが、彼の弁護人とは以後も交流し、彼からの便りも時おり届けられます。結局のところ少年犯罪をめぐる報道も、お上や法に唯々諾々と従うのではなく、何のために何をどう伝えるか、メディア側の見識と覚悟が常に問われるのでしょう。

2022.4.20

侵攻戦という絶対悪

ロシアの一般市民にまで敵意を向け、駅構内のロシア語案内を消去するなど論外の愚行にせよ、ロシアによるウクライナ侵攻戦はどう考えたって絶対的な悪、だからその命を発し続ける大統領への憤怒《ふんぬ》はこの国でも広く共有され、僕自身もそれに異論はありません。

ただ、ふと首をかしげてもしまうのです。過去に同じような侵攻戦を、犠牲者の数ではさらに凄惨な大規模侵攻戦を大国が仕掛けた際、同じような憤怒はなぜ広く共有されなかったのだろうか、と。

たとえば2003年、米国などが乗り出したイラク侵攻戦。国際社会の制止も顧みず、明確な国連安保理決議なども経ず、「大量破壊兵器の脅威」をうそぶいて戦火を開き、大量のミサイルと地上軍を現地に注ぎ込み、生み出されたのは実に10万以上とも数十万とも指摘される民間人の死者。

しかし大義とされた「大量兵器」は影も形もなく、以後のイラクや周辺国は混迷の底に沈み、いまなお故郷を追われ、家を失ったおびただしい数の人びとが塗炭《とたん》の苦しみにあえいでいる現実。その侵攻戦を日本政府は支持し、「復興支援」と称して自衛隊を現地に送り、在日米軍基地は侵攻の拠点にもなったのです。

知人のメディア人に言わせれば、「独裁が民主主義を侵略するのと、一応は民主主義を掲げて独裁を倒すのは違う」と。果たしてそうか。かつて米国は民主的に選ばれた他国の政権を平然と転覆させ、自国の利益にかなうなら独裁を公然と庇護《ひご》し、軍事的支援すら豊富に与えてもきていて、あまりにあからさまな二重基準。

いわゆる「避難民」をめぐる僕たちの対応もそう。ウクライナから逃れた人びとを積極的に受け入れるのは当然にせよ、あの侵攻戦で家や故郷を追われた人びとになぜ同じ対応を取らなかったのか。近隣の国で現在も続く軍政の弾圧から逃れる人びとにも、なぜもっと手を差し伸べないのか。

別にそうやって物事を相対化し、ロシアによる今回の絶対悪の罪を軽んじるつもりなどありません。ただ、そういう「眼《め》」だけは常に持っていたいと思うのです。まがりなりにも米国などはあの侵攻戦を「過ち」と総括したものの、僕たちはあの侵攻戦への支持と支援が適切だったかの総括すら行っておらず、まして侵攻戦という絶対悪にも、人の命にも、軽重などないのですから。

2022.4.27

ディストピア

5月3日の本紙朝刊が伝えたロシア独立系世論調査機関の発表によると、プーチン大統領の支持率は今も実に82パーセントを維持し、ウクライナへの「特別軍事作戦」を支持する層も74パーセント、逆に不支持は19パーセント。これを捉えて「信じがたい」「調査の公正性が疑問」「事実を正確に知らないからだ」といった指摘が日本メディアでは散見されます。でも、果たしてそうだろうかと僕は首をひねるのです。

たしかにプーチン政権に牛耳られた国営メディアなどが事実を伝えず、「戦争」という言葉さえ封じられ、「自衛」のための「特別軍事作戦」と強弁していることの影響は大きいでしょう。ただ、戦争とはナショナリズムを究極的にあおるもの。しかもそれが正しいかどうかはともかくとして、自国の兵士が前線で戦い、現実に命を落としているのです。加えて言論・表現・報道の自由が極度に統制され、侵攻に異議を唱えた市民は次々と拘束され、それでも「特別軍事作戦」に19パーセントが不支持を表明するのは、むしろ気骨ある人びとがかなりいるのだな、という印象さえ僕は抱きます。

そしてふと想像したくなってしまうのです。先の大戦中、この国で世論調査が行われていたら、あの大戦をどれほどの人びとが支持していただろうか、と。

実は、本紙や軍情報局なども大戦中に「輿論《よろん》調査」なるものをわずかに実施していたらしいのですが、現在のように精緻で広範な調査ではなく、世論の趨勢を知るすべはなし。とはいえ軍部が言論報道を徹底統制し、新聞などのメディアも「暴支膺懲《ようちょう》」だの「鬼畜米英」だのと戦時体制を盛んにあおる中、世論動向は果たしてどうだったのか。今のロシアより支持率は高かったか、低かったか。

もちろん本音では、かなりの人が心の底でうんざりしていたでしょう。ならば、さらに夢想したくなります。人びとの心の底の本音を調べる手法があれば、果たしてかつての日本は、また現在のロシアは、政権や大戦や「特別軍事作戦」をどれほど支持しているか。

いやいや、これはあまりに危険すぎます。そんな調査が可能なら、独裁的政権は「反政府勢力探し」や「非国民狩り」に悪用しかねず、まさにオーウェルが描いたディストピア。社会の急速なデジタル化でそれが可能になりつつあるようなのも恐ろしいところですが……。

2022.5.11

辛辣な「通信簿」

フランスのパリに本部を置く国際ジャーナリスト組織「国境なき記者団」が毎年発表する「報道の自由度ランキング」。それぞれの国や地域で活動するメディア関係者らへのアンケート調査が土台となっていて、今年は僕の知人のジャーナリストが調査対象になったためアンケートを一緒にチェックする機会がありました。

調査は相当に子細。当該国・地域の報道の自由度に関して、「政治的状況」「法律的枠組み」「社会文化的状況」などがどの程度作用しているかを問う質問にはじまり、政府がメディアに及ぼす影響、政府の透明性やメディアの独立性、メディアやジャーナリストが日常的に置かれた環境、広告主との関係や自立性、ネット環境の自由度、検閲や情報統制の有無――等々、ざっと数えても質問項目は100近く。主観的要素の入る余地が皆無ではないものの、それぞれの国・地域のメディア状況をかなり網羅《もうら》的に、そしてかなり正確に浮かびあがらせるものといえそうです。

さて、その最新版2022年のランキングで日本は計180の国・地域のうち71位。昨年よりさらに4つランクを落とし、いわゆる先進民主主義国では最低レベルとなり、近隣では台湾

（38位）や韓国（43位）よりもはるかに下。２０１０年には11位まで上昇していたことを考えれば、その凋落《ちょうらく》ぶりはかなり無残です。

〝選評〟はさらに深刻。「日本のジャーナリストは比較的安全な労働環境を享受している」と前置きしつつ、最近も報道の自由を阻害しかねない法律が成立したことや政府、企業、またはその周辺者によるメディアへの「圧力」「嫌がらせ」に触れ、だからメディア側では「強い自己検閲が行われている」。記者クラブ制度もその一因となり、また公的情報へのアクセス権の公平性を損なっていると今年も言及されました。

そう考えれば、もちろん時の政権や与党などの振る舞いにも問題はあれ、これはかなり強烈で辛辣なメディアへの「通信簿」。ジャーナリストが命を落とし「戦争」を「戦争」と報じることすら強権で禁じられた国などと異なり、「比較的安全な労働環境を享受」しているのに「自己検閲」で報道の自由度を大きく損なっているなら、問われるのはむしろメディア側の姿勢であり、本紙も僕も人ごとではありません。

2022.5.18

頬かぶり

首相主催の公的行事「桜を見る会」の前夜、安倍晋三元首相の後援会がそれに参加する地元支援者らを招いて高級ホテルで開いていたパーティー問題。ここにきてまたも新たな事実が判明しました。2017年から2019年にかけ、サントリーホールディングスから計400本近い酒類を無償で提供されていたというのです。

この問題をめぐっては、パーティー参加費を安倍氏側が補塡《ほてん》したのにその事実を政治資金収支報告書に記載せず、安倍氏の元公設第一秘書が政治資金規正法違反で罰金刑を受けていて、しんぶん赤旗がその刑事確定記録を開示請求して精査。同じ刑事確定記録は複数のメディアもチェックしていたようですが、丁寧に読み込んで取材を尽くしたスクープは、政党機関紙ながら極めてジャーナリスティックな調査報道でした。

それにしても、1人5000円という格安の参加費は「ホテル側が設定した」だの「補塡はまったくない」だの「明細書もない」だの、国会で発した118回もの虚偽答弁を含め、元首相の抗弁は、あらためて振り返っても何から何までうそだらけ。支援者らの参加費を自らが補塡していたばかりか、企業から酒までタダで提供されていたなら、政治資金規正法が禁ずる政治家個人への企業寄付の疑いも浮上します。しかし元首相側は相変わらず真摯に説明する気配はなし。

森友学園問題をめぐる公文書改竄もそう。改竄を強要されて自死した元近畿財務局職員・赤木俊夫さんの妻・雅子さんが起こした国家賠償請求訴訟は、実質的な審理に入る前に国側は突如「認諾」という奇手で裁判を終結させ、1億円以上の公費を支払って頬かぶり。

改竄を主導したとされる当時の財務省理財局長・佐川宣寿《のぶひさ》氏への損害賠償請求訴訟は続いているものの、こちらも裁判所は佐川氏らへの本人尋問を実施せず。

憤る雅子さんに対し、一部では「いつまで騒いでいるのか」という声もあって、それを記者会見で問われた雅子さんはこう反論しています。「夫は私にとってはたった1人の家族でした。その夫がなぜ死ななければならなかったのか、真相がわかるまで終わらせることなどできません」

そう、「いつまで騒いでいるのか」ではなく、「いったいいつになったら真摯に説明するのか」「いったいいつになったら真実を明かすのか」と問うべきなのです、元首相に対して。

2022.6.1

「元テロリスト」の出所

日本赤軍の最高幹部だった重信房子氏が刑期を終えて出所したのは5月28日。大阪潜伏中の逮捕から数えれば22年、「革命のための国際根拠地」を求めて出国してから数えれば実に半世紀、この国の変化は彼女にとって隔世の感があるでしょう。

日本赤軍が数々の事件を起こした１９７０年代は、この国が高度経済成長を遂げて世界2位の「経済大国」に躍り出た直後。とはいえその歪みも社会の随所に表れ、世界的に高揚した学生運動や左派運動、そして東西冷戦なども背景とし、「革命」といったイデオロギーや「虐《しいた》げられる者の側に立つ」といった正義に憑《つ》かれた若者たちが事件を引き起こしたのです。

だからといって事件を容認することなどもちろんできないにせよ、同じく70年代に起きた東アジア反日武装戦線による連続企業爆破事件もそうでした。経済大国となった「日帝」が再びアジア各国に「経済侵略」していると捉え、搾取や少数者への差別などに憤り、組織名に「反日」を冠して多くの人命を奪う凄惨な事件を起こしたのも、ある意味で先鋭的な正義に憑かれた若者たちだったのです。

そして現在、この国の風景は一変しました。経済は長期低迷から抜け出せず、財政悪化や少子化に歯止めはかからず、シュリンクする国は社会保障などの将来も描けず、不安や焦燥がまん延するなかで広がるのは皮相なナショナリズムや排他的風潮。「反日」という言葉も国や大勢にまつろわぬ者への罵倒語に反転し、いま重信氏はその現状に何を思うのか。

一方、かつて重信氏が拠点とした中東レバノンの首都ベイルートでは、国際手配中の岡本公三容疑者が久々に公の場に姿を見せたとか。やはり日本赤軍のメンバーとしてイスラエルのテルアビブ空港で銃乱射事件を起こし、これも事件を容認することなどできないにせよ、米国とイスラエルの圧迫にあえぐパレスチナの人びとが彼を「英雄」として庇護しつづけているのもまた事実。

好むと好まざるとに関わらず、視座が変われば風景も変わる、時代が変われば社会も変わる、そんなことを考えさせる「元テロリスト」の出所。そういえば、通信社の記者時代に取材した警視庁公安部の〝赤軍ハンター〟も、彼女について語る際はどこか憧憬混じりの気配を漂わせていたのを思い出します。

2022.6.8

ロシア文学者の警鐘

ロシアの無法な侵攻はなぜ起きたのか、それをあらためて考える際にロシア文学者、奈倉有里《なぐらゆり》さんの『夕暮れに夜明けの歌を　文学を探しにロシアに行く』（イースト・プレス）は、最良のテキストのひとつだと僕には思われます。

出版は2月の侵攻より以前の昨年10月。副題にあるように2002年から2008年にかけてロシアの文学大学で学んだ日々を若き文学者が柔らかな筆致でつづった〝留学記〟ですが、その間にロシア社会で起きた変化を低い目線で、しかもとても重要な変化を見事に活写していて、良質なルポルタージュの趣《おもむき》も帯びた作品になっています。

ではその間、ロシアで何が起きていたか。まずは政治が盛んに扇動する「愛国」主義とそれにあおられて徐々に強まる排外主義。続発するテロ対策として進められた警察権力の肥大化と治安強化。政権と一体化する伝統宗教。横行する政権のメディア弾圧と萎縮、画一化が進んでいく言論状況……。

影響は次第に大学の教科書や教員にも及び、2008年ごろの時点でロシアの〝優越性〟を授業で「堂々と」語る教授が登場していたのだとか。そして奈倉さんは記すのです。「社会にそれを許すだけの風潮が広まっていた」と。

一方で文学者としての奈倉さんの思考は常に文学と、それが依拠する言葉に寄り添い、繰り返し強調されるのは言葉の持つ役割と意味の重さ。文学大学の教室にはロシアの文豪トルストイのこんな言葉が掲げられていたとか。

「言葉は偉大だ。なぜなら言葉は人と人をつなぐこともできれば、人と人を分断することもできるからだ。言葉は愛のためにも使え、敵意と憎しみのためにも使える」

言葉こそが人と人をつなぎ、同時に政治の横暴を押しとどめる力にもなる。しかし、それが押さえつけられ、敵意と憎悪の道具に反転した時、国と社会は制御を失って暴走する。再び奈倉さんの文章から。

「文学の存在意義さえわからない政治家や批評家もどきが世界中で文学を軽視しはじめる時代というものがある」「彼らは、本を丁寧に読まないがゆえに知らないのだ――これまでいかに彼らとよく似た滑稽《こっけい》な人物が世界じゅうの文学作品に描かれてきたのかも、どれほど陳腐な主張をしているのかも」

もうお気づきでしょう。ロシアで起きていた社会のゆがみも、滑稽で陳腐な風潮の高まりも、決してロシアのことだけを指しているのではないのだ、と。

2022.6.15

手に負えない怪物

福島第1原発の事故で被害を受けた住民らが国に損害賠償を求めた4件の集団訴訟をめぐり、最高裁第2小法廷が6月17日に言い渡した判決。本紙も大きく報じていましたが、原告の住民らの訴えを退け、国の賠償責任を認めなかったその判決文を、あらためてじっくり読み返してみました。

なんだか小難しい文章が書き連ねられてはいますが、最終的に言わんとしていることは至極単純。僕なりにかみ砕いてまとめれば、事故原因となった津波は「想定外」の規模であって、もし国が権限を行使して東電に対策を命じていたとしても、事故を防ぐことはできなかった可能性が高い――ゆえに「国に賠償責任はない」。

福島ではいまなお3万人以上が避難生活を強いられるなか、一連の訴訟では複数の裁判所が今回と逆の判断を示してもいました。たとえば2020年9月の仙台高裁判決は、事故対策に関する国の姿勢を「不誠実な東電の報告を唯々諾々と受け入れ、規制当局に期待される役割を果たさなかった」と指弾して国に賠償を命令。それらを覆した最高裁の判断には、原告の住民らはもちろん、避難生活を続ける人びとの多くが到底納得できない思いでしょう。

しかし、今回の判決を熟読すると、また別の意味が浮かびあがってくるようにも僕は思うのです。

ご存じの通り、この国は原発という巨大発電装置を「国策民営」で運用してきました。その果てに福島で起こされた世界最悪クラスの大惨事。しかし、司法権の頂点たる最高裁が下した判決を、あの津波を「想定外」と断じた判決を素直に読めば、原発をめぐる「想定外」の事故は今後も起こり得ることになります。

しかも原発という巨大発電装置は、ひとたび過酷事故が起きれば甚大な被害を内外にまき散らし、場合によっては国土の相当部分を不毛の地に一変させかねない代物。なのに「国策」として推進してきた国は事故が起きても「想定外」に逃げ込み、責任を負わず、被害者に賠償もしない——。

とするなら今回の判決は、原発などというものは「国家の手にも負えない怪物」であるから、こんなものを再稼働させるのはもとより、運用すること自体をやめた方がいい——そう言っているに等しいのではないか。決して皮肉ではなく、本当にごく素直に僕はそう考えてしまうのですが……。

2022.6.22

重要な分岐点

さて、参院選。本紙が6月27日付の朝刊で報じた最新の情勢調査によると、与党は改選過半数を確保する勢いを保ち、自民党は単独でも60議席台の獲得を視野に入れる圧倒的優勢とか。さもありなん。ただでさえ多弱の野党が共闘の意欲すらすっかりと陰らせ、それどころか一部野党は与党にすり寄って「ゆ党」と化し、互いに足を引っぱりあっていては与党優勢も当然の道理。異様な猛暑の倦怠《けんたい》も重なり、選挙への関心を薄れさせている方も多いのでは。僕も同感、その気持ちはわからぬでもありません。

ただ、今回の参院選は存外重要な戦後政治の分岐点になるのではないか、とも思うのです。注目すべきはその多弱野党の動向、特に立憲民主党と日本維新の会の得票数や獲得議席といった趨勢。

本紙の情勢調査を含む各メディアの報道や世論調査を眺めていると、今般の参院選をめぐっては、野党第1党の立憲より維新の方が支持率などで先行する傾向が示されています。あらためて記すまでもなく、大阪を本拠とする維新は前々首相や前首相らと気脈を通じ、改憲にしても安保・防衛政策にしても、あるいは相当に新自由主義的な社会保障や経済政策にしても、その本質は現政権より明らかに「右」。

半数改選の参院選で野党第1党の座が入れ替わることはないにせよ、今回の得票数で維新が立憲を上回ったり、獲得議席でそれを凌駕《りょうが》する勢いを見せれば、選挙後の政治は〝右バネ〟が強まり、政権や与党を「右」へと引っぱることになるでしょう。

しかも現在の首相は、党内でも伝統的にハト派に分類される名門派閥を率いているものの、〈ブレることにおいてブレない〉（政治学者の中島岳志さん）などと評される心棒なき為政者。加えてロシアによるウクライナ侵攻の衝撃を受け、「核共有」だとか「敵基地攻撃」だとか「防衛費倍増」だと叫ぶ勇ましき面々は与党内で勢いを増すばかり。

これに党外から加勢し、はやし立てる勢力が伸長すれば、改憲の発議がタイムテーブルに乗りかねないのをはじめ、この国の政治の変質が一層進むのは必定でしょう。それを是とするにせよ、しないにせよ、やはり今回の参院選はかなり重要な分岐点。多弱野党と猛暑の倦怠に沈んでいる場合ではなさそうです。

2022.6.29

社会的な病

人工妊娠中絶や銃規制といった米社会を二分するテーマをめぐり、連邦最高裁が相次いで重大な判断を示しました。6月24日には、中絶を女性の権利と認めた1973年の判決を覆し、同23日には、自宅外での銃所持を制限したニューヨーク州法を違憲と判断。直接的にはトランプ前政権下で保守派判事が増えた影響は大きく、さらに背後にはキリスト教右派の宗教勢力や銃関連団体の政治力等々、複雑な要素も絡み合っていて、外から眺めると理解し難い面があるのも事実です。

ただ、中絶は女性の権利保護に直結する問題であり、銃に至っては乱射事件が最近も各地で続発していて、米世論の動向は最高裁判断とかなり異なります。さまざまな世論調査結果はあるものの、世論調査会社ギャラップによると、中絶は5月時点で容認派が55パーセントに達し、銃についても昨年10月時点で52パーセントが販売規制の強化を求め、現状維持などの声を上回ったとか。

つまり、権利擁護や被害軽減を求める声を頑迷な宗教勢力や利害団体の政治力が押し潰し、時計の針を強引に巻き戻している、と評せる状況といえるでしょう。

こうした風潮は決して人ごとではありません。たとえば選択的夫婦別姓制をめぐるこの国の動向。こちらもさまざまな世論調査結果があって、世代でも反応は分かれますが、本紙が2月に報じた調査によると、制度導入を容認する声は44パーセントに達し、現行制の維持や旧姓の通称利用などを上回って最多。同性婚も「認める必要はない」の16パーセントに対し、「認めるべき」は46パーセント。

特に選択的夫婦別姓制については、法相の諮問機関である法制審議会が20年以上も前に導入を答申し、希望者が別姓を選択するだけの制度なのにいまだ実現せず。背景には明治期の「家制度」に固執する勢力、特に宗教勢力を中心とした右派団体の頑迷固陋《ころう》な抵抗があり、その支持を受ける与党の一部が頑強に導入を阻んできたのです。

そういえば、その勢力が擁する団体の一つである神道政治連盟が先日、与党議員らを集めた会合でこんな文書を配ったと報じられました。〈同性愛は精神の障害、または依存症〉。あきれるほどバカげた妄論ですが、こうした勢力が隠然たる政治的影響力を持ち、大切な権利や寛容性をなぎ倒しているのは、彼我《ひが》に共通する社会的な病でしょう。

2022.7.6

結びに

あらためて数えてみると、本書は私にとって6冊目の時評集になる。

基本的には長期の取材に基づくルポルタージュやノンフィクションの執筆を本業としつつ、テレビやラジオ、ネットメディアなどの仕事にも多少関わり、一方で日々さまざまな雑誌や新聞にコラム、評論などを寄せている私は、これは以前の時評集にも記したことではあるが、そうしたコラム等の文章はその場限りで読み捨てられるものと覚悟しながら執筆をしている。

それは決して悪い意味ではなく、たまさかコラム等を眼にした読者に問題を提起し、あるいは問題の深層を喚起し、多少なりとも役目を果たせばあとは紙屑となる、そもそも新聞や雑誌というのはそういう媒体だと考えているからでもある。

なのに、読み捨てられるのが宿命のコラムや評論をこうして編み直し、実に6冊目となる時評集としてあらためて多くの読者に届けられるのは、メディアとかジャーナリズムと呼ばれる世界の片隅で仕事をしてきた者としては実に幸せなこと、これも私の時評集を手にとってくれる読者のおかげであり、この「ジャーナル＝日録」がみなさんの思考のために多少でも役立つことを心から願っている。

そして今回もまた、最も信頼する編集者Mくんがその編集作業を全面的に担ってくれた。Mくん、本当にありがとう。と同時に、本書に収録した原稿にはそれぞれの月刊誌や週刊誌の編集者、または新聞や通信社の編集担当者がいて、私の寄稿を日々受けとめて誌面化、紙面化に力を尽くしてくれている。それぞれの原稿を時評集に再収録することまで快く許してくれた彼ら、彼女らにも心からお礼を伝えたい。

また、今回も素晴らしくシャープで印象深い装丁を提供してくれた鈴木成一さんとそのスタッフ、最終的な編集指揮を執ってくれた河出書房新社の岩本太一さんにも伏してお礼を申しあげる。みなさんに多謝。

2023年2月5日

取材のため久しぶりに訪れている韓国・ソウルのホテルで

青木理

青木理（あおき・おさむ）

一九六六年生まれ。共同通信記者を経て、フリーのジャーナリスト、ノンフィクション作家。著書に『日本の公安警察』、『北朝鮮に潜入せよ』（ともに講談社現代新書）、『絞首刑』（講談社文庫）、『誘蛾灯――二つの連続不審死事件』（講談社＋α文庫）、『増補版　国策捜査　暴走する特捜検察と餌食にされた人たち』（角川文庫）、『抵抗の拠点から――朝日新聞「慰安婦報道」の核心』（講談社）、『日本会議の正体』（平凡社新書）、『安倍三代』（朝日文庫）、『情報隠蔽国家』（河出文庫）、『暗黒のスキャンダル国家』、『時代の抵抗者たち』、『時代の異端者たち』（いずれも河出書房新社）、『破壊者たちへ』（毎日新聞出版）など。

カルト権力

公安、軍事、宗教侵蝕の果てに

二〇二三年三月二〇日　初版印刷
二〇二三年三月三〇日　初版発行

著者　青木理
発行者　小野寺優
発行所　株式会社河出書房新社
〒一五一-〇〇五一　東京都渋谷区千駄ヶ谷二-三二-二
電話〇三-三四〇四-一二〇一（営業）
〇三-三四〇四-八六一一（編集）
https://www.kawade.co.jp/

組版　株式会社ステラ
印刷　モリモト印刷株式会社
製本　大口製本印刷株式会社

Printed in Japan ISBN978-4-309-23123-5
落丁本・乱丁本はお取り替えいたします。